D1550401

Veinte poemas de amor
y una canción desesperada

Contemporánea
Poesía

PABLO NERUDA

VEINTE POEMAS DE AMOR Y UNA CANCIÓN DESESPERADA

Edición y guía de lectura de José Carlos Rovira

AUSTRAL

Seix Barral

© Pablo Neruda 1924, y Fundación de Pablo Neruda
© por la edición y la guía de lectura, José Carlos Rovira, 1997
Derechos exclusivos de edición en español reservados para españa y América Latina:
© Editorial Seix Barral, S. A., 1997, 2014
    Avinguda Diagonal, 662, 7.ª planta. 08034 Barcelona (España)
    www.seix-barral.es
    www.planetadelibros.com

Diseño de la colección: Compañía
Ilustración de la cubierta: Shutterstock
Primera edición: 15-V-1997
Vigésima edición:
    Primera en esta presentación: octubre de 2011
    Segunda impresión: junio de 2012
    Tercera impresión: junio de 2014
    Cuarta impresión: enero de 2015

Depósito legal: B. 28.354-2011
ISBN: 978-84-322-4842-9
Impresión y encuadernación: Black Print CPI, Barcelona
Printed in Spain - Impreso en España

Biografía

Pablo Neruda (Parral, 1904 - Santiago, 1973) ha sido sin
duda una de las voces más altas de la poesía de nuestro
tiempo. Desde el combate directo o desde la persecución
y el exilio valerosamente arrostrados, la trayectoria del
poeta chileno, que en 1971 obtuvo el Premio Nobel,
configura la evolución de un intelectual militante y una de
las principales aventuras expresivas de la lírica en lengua
castellana, sustentada en un poderío verbal inigualable
que, de la indiscriminada inmersión en el mundo de las
fuerzas telúricas originarias, se expandió a la fusión con el
ámbito americano y supo cantar el instante amoroso que
contiene el cosmos, el tiempo oscuro de la opresión y el
momento encendido de la lucha. Una mirada que abarca
a un tiempo la vastedad de los seres y el abismo interior
del lenguaje. Poeta total, Neruda pertenece ya a la
tradición más viva de nuestra poesía.

ÍNDICE

VEINTE POEMAS DE AMOR
Y UNA CANCIÓN DESESPERADA

INTRODUCCIÓN

UNA DE LAS VIDAS DEL POETA

> Mi vida es una vida hecha de todas las vidas:
> las vidas del poeta.
>
> PABLO NERUDA, *Confieso que he vivido.*

La biografía de un escritor es, en último extremo, algo que sostiene su obra, con elementos reales o ficticios, con sinceridad o mentira, con palabras o silencios... Qué más da todo eso si —en el caso concreto que presento y en nuestra época— la obra ha sido leída por millones de personas y posiblemente utilizada como recurso fragmentario, memorial y emocional por una parte importante de lectores —no sólo de poesía— a lo largo de nuestro siglo. Cuántas veces habremos dicho algunos, por ejemplo, aquello de «nosotros, los de entonces, ya no somos los mismos». Cuántas veces nos habremos acordado de aquello de «me gustas cuando callas porque estás como ausente». Cuántas la memoria nos habrá llevado al verso que dice «puedo escribir los versos más tristes esta noche». Pablo Neruda es un poeta del que se recuerdan los versos, incluso, o sobre todo, éstos que cito tan iniciales.

El lector tiene en sus manos un libro aparecido en abril de 1924, en Santiago de Chile. Neruda tenía veinte años. El libro tiene ahora más de setenta años de vida editorial; quizá

los más prodigiosos setenta años de vida de un libro de poesía
en el siglo XX.

Los críticos y los profesores hablamos con frecuencia desde
hace algún tiempo de la teoría de la recepción literaria. Por encima de la teoría, en todas las páginas que siguen, me pro-
pongo responder a un reto del propio Neruda, que habla también de recepción, en este caso sentimental, al comentar una
vez esta obra:

> *Veinte poemas* se ha editado muchas veces. He visto mu-
> chas parejas de enamorados perdurables a quienes unió este
> libro triste. ¿Cómo se ha mantenido la frescura, el aroma vivo
> de estos versos durante todos estos años que fueron como si-
> glos? Yo no puedo explicarlo [1].

En las páginas siguientes, entre otras cosas, voy a intentar
hacerlo.

BREVE CONTEXTO

En los años setenta oíamos con frecuencia la *Cantata de
Santa María de Iquique* [2], un canto y un relato estremecedor
en el que los obreros del salitre (nitrato potásico) realizaban
una huelga en 1907, se concentraban en Iquique, en el norte
de Chile. Ante la iglesia de Santa María fueron ametrallados,
muriendo aproximadamente unos 3.600. El suceso es histórico. Ocurrieron acontecimientos similares en otras partes de
Latinoamérica. Todos hemos leído el mismo método expedi-
tivo para acallar una protesta en la huelga contra la compañía

---

[1]   Pablo Neruda, «Las vidas del poeta. Memorias y recuerdos de Pablo
Neruda (Diez crónicas autobiográficas)», *O Cruzeiro Internacional,* Río de
Janeiro, 16 enero-1 junio de 1962 (primera crónica).
[2]   *Santa María de Iquique. Cantata popular.* Texto y música de Luis Ad-
vis. Interpretada por Quilapayún. Relator Héctor Duvauchelle, Madrid, Mo-
vieplay, S-32.735, 1975.

bananera del gran relato *Cien años de soledad,* de Gabriel García Márquez.

Las condiciones de vida, la dialéctica permanente del subdesarrollo en el Continente, era algo que marcaba la vida social desde la frontera de México a la Patagonia. En Chile, el incipiente desarrollo tenía dos fuentes principales de riqueza controladas rigurosamente por Estados Unidos de América: el cobre y el salitre. La economía agrícola rural era paupérrima y la población se extendía en una geografía muy larga y estrecha configurada por 4.300 kilómetros de longitud y los 200 de promedio de latitud (la mayor anchura llega a 400 kilómetros). La cordillera de los Andes vertebra aquel bellísimo y dispar conjunto en el que la pobreza emergía como condicionante principal de la escasa población indígena: los mapuches, principalmente, aquellos héroes del pasado que el madrileño Alonso de Ercilla llamó araucanos en aquel canto épico del siglo XVI que, al cantar la gesta y la resistencia araucana contra el conquistador español, algunos consideran como el origen de la identidad y la nacionalidad chilena.

La evolución urbana tenía en Santiago la principal configuración, sin llegar al desarrollo de las grandes urbes americanas como México D. F. o Buenos Aires, y era casi exclusivamente en la capital del país donde se afincaba una tradición intelectual desde la independencia. Figuras como Alberto Blest Gana, Francisco Bilbao o José Victorino Lastarria nutren, en la novela y en el ensayo, un siglo XIX dinámico y creador, que se configura ya en sus postrimerías por la nutriente presencia del nicaragüense Rubén Darío, quien escribe en Santiago, entre 1886 y 1889, su libro *Azul,* generando un grupo modernista (en tránsito al postmodernismo) con figuras destacables como Carlos Pezoa Véliz, Manuel Magallanes Moure y Pedro Prado. Un siglo XX espléndido se abrirá con la figura de Gabriela Mistral, premio Nobel de Literatura en 1945, y cuya poesía de la sencillez modifica la experiencia inicial modernista de esta escritora, de quien Neruda recordará siempre su primer encuentro casi en la niñez del poeta. El establecimiento de una fuerte agitación vanguardista por Vicente Huidobro, desde París y desde Santiago, determinará nuevas e importantes presencias poéticas en la segunda década del siglo, con figuras como Pablo de Rokha o, posteriormente, Nicanor Parra y sus originalísimos «antipoemas».

Es en el contexto de la vanguardia donde habría que situar a Pablo Neruda, pero, como ya tuve ocasión de plantear hace algún tiempo [3], la posición de Neruda ante el discurso de la vanguardia es contraria a la de Huidobro. Sólo una vez realiza un manifiesto que se pueda considerar de agitación vanguardista: es en Madrid, en 1935, cuando la revista *Caballo verde para la poesía* aparece con el texto «Sobre una poesía sin pureza», manifiesto que es, sobre todo, una toma de posición contra Juan Ramón Jiménez. Varios problemas entran en relación con esta cuestión: uno de ellos, la influencia segura de Alberto Rojas Jiménez en el conocimiento que Neruda tiene de la vanguardia. En cualquier caso, tanto Neruda *(Residencia en la tierra)* como Vallejo *(Trilce)* se afincan definitivamente en una renovación del lenguaje poético, creando auténticos paradigmas para la vanguardia latinoamericana. Pero la posición de Vallejo es de manifiesta toma de distancia, mientras que Neruda parece como si hubiera querido pasar de puntillas al lado de las vanguardias actuantes y, en cualquier caso, hacer la menor referencia posible a ellas. Entre los muchos testimonios que atestiguan lo dicho, ofrezco ahora uno solo, pues tiene que ver con el tiempo anterior a los VEINTE POEMAS...:

> Me refugié en la poesía con ferocidad de tímido. Aleteaban sobre Santiago las nuevas escuelas literarias. En la calle Maruri, 513, terminé de escribir mi primer libro [...] En las tardes, al ponerse el sol, frente al balcón se desarrollaba un espectáculo diario que yo no me perdía por nada del mundo.

---

[3]   José Carlos Rovira, *Para leer a Pablo Neruda,* Madrid, Palas Atenea, 1991: «Neruda y el discurso de la vanguardia», págs. 161-172.

Era la puesta del sol con grandiosos hacinamientos de colores, repartos de luz, abanicos inmensos de anaranjado y escarlata[4].

Mientras Huidobro, por ejemplo, proclamaba insistentemente su creacionismo, Neruda se refugiaba ante los crepúsculos para trazar una escritura que iría de un modernismo en transformación *(Crepusculario)* a un neorromanticismo profundamente original en los VEINTE POEMAS... Se abrirá luego al lenguaje surreal, pero tendrá por ello como enemigos encarnizados y muy ofensivos, allá por el año 1938, a los surrealistas chilenos del grupo y la revista *Mandrágora*.

TEMUCO, EN EL CENTRO DE CHILE, HACIA EL SUR

En el principio fue la soledad de Temuco, la estación de ferrocarril donde trabajaba su padre, la costa cercana de Puerto Saavedra, la naturaleza deshabitada, la flor del copihue, el ruido de los trenes o su silencio, el rumor del mar o todos los sonidos de la naturaleza, agolpados a las palabras que se van aprendiendo, para llamar a cada cosa por su nombre.

En Parral, al sur de Santiago de Chile, nació el 12 de julio de 1904 Neftalí Ricardo Reyes Basoalto, quien, años después, se llamará Pablo Neruda. Su madre, Rosa Basoalto, muere un mes después del parto a causa de tuberculosis. Su padre, el ferroviario José del Carmen Reyes Morales, se traslada en 1906 a Temuco, casándose de nuevo con Trinidad Candia Marverde. La infancia en Temuco es un aprendizaje de soledad y naturaleza: estudios en el liceo de hombres hasta concluir el sexto año de Humanidades en 1920; primeros poemas publicados a partir de 1918, a los catorce años, en revistas de Santiago o estudiantiles de su ciudad. En *Confieso que he vivido* narró el

---

[4] Pablo Neruda, *Confieso que he vivido,* Barcelona, Seix Barral, 1974, pág. 62.

poeta ampliamente todas las sorpresas de aquella infancia: la naturaleza que le provoca «una especie de embriaguez», los pájaros y su canto, los insectos, o los juegos infantiles, como aquellas peleas con bellotas en las que «yo tenía escasa capacidad, ninguna fuerza y poca astucia. Siempre llevaba la peor parte. Mientras me entretenía observando la maravillosa bellota, verde y pulida, con su caperuza rugosa y gris [...] ya me había caído un diluvio de bellotazos en la cabeza» [5]. La narración de infancia tiene un bellísimo momento en su primera llegada al mar, en un vapor a lo largo del río Imperial: «No hay nada más invasivo para un corazón de quince años que una navegación por un río ancho y desconocido, entre riberas montañosas, en el camino del misterioso mar», hasta aquella desembocadura que conformará ya para siempre un aspecto de la sensibilidad del poeta:

> Cuando estuve por primera vez frente al océano quedé sobrecogido. Allí entre dos grandes cerros (el Huilque y el Maule) se desarrollaba la furia del gran mar. No sólo eran las inmensas olas nevadas que se levantaban a muchos metros sobre nuestras cabezas, sino un estruendo de corazón colosal, la palpitación del universo [6].

Pablo Neruda es un poeta que ha reflexionado ampliamente sobre su poesía y sobre su biografía, hasta el punto de resultar imprescindibles sus textos en prosa para adentrarnos en su mundo poético. En su autobiografía *Confieso que he vivido,* o en el texto complementario *Para nacer he nacido,* hay un material reflexivo que concierne directamente a sus contraseñas poéticas y que indica un nivel de autoconciencia que resulta la mejor explicación de su génesis poética. Cabe pensar que estos materiales, escritos en un tiempo posterior a la poesía, sean indirectamente una glosa de aquélla.

---

[5]   *Confieso que he vivido,* pág. 22.
[6]   *Ibídem,* pág. 27.

De los textos anteriores surge la imagen de un adolescente débil, ensimismado, solitario, en continua sorpresa ante diferentes naturalezas que se sitúan ante sus ojos. La lectura de *El río invisible,* la recopilación realizada en 1980 por Jorge Edwards y Matilde Urrutia de los poemas y prosas de juventud, que abarcan un tiempo que va desde 1918 a 1924, nos devuelve esa imagen mantenida por la prosa. La prehistoria poética de Neruda se desarrolla además en clave de soledad, tristeza, amargura, dolor, desesperación, etc., como contraseñas adolescentes de un mundo poético que se gesta también en relación a un referente continuo de la naturaleza (mar, lluvia, insectos, etc.). El poeta se define en un ámbito sensible que coincide frecuentemente con el del Romanticismo, mediante unos poemas infantiles cuyo único valor está en las pistas textuales que establecen. Sobre la sensibilidad romántica de noches, lunas y tristezas va actuando inmediatamente una polarización imaginativa del modernismo hispanoamericano.

Entre 1920 y 1923 se genera *Crepusculario,* cuyas resonancias (desde el título) al modernismo y al decadentismo europeo son evidentes. El tiempo biográfico de *Crepusculario* coincide con el final de su estancia en Temuco y su traslado a Santiago para seguir estudios de francés en el Instituto Pedagógico. En 1920 algunos materiales de *Crepusculario* son esbozados con el título *Las ínsulas extrañas,* cuya referencia al verso del *Cántico espiritual* de San Juan de la Cruz es un dato a tener en cuenta para futuros encuentros.

Crepusculario se publica en 1923 por Ediciones Claridad de Santiago. Se trata de una obra que está plenamente integrada en un mundo adolescente de sensaciones que quieren dar cuenta del propio vivir:

> Desde el fondo de ti, y arrodillado,
> un niño triste, como yo, nos mira,

dice abriendo «Farewel y los sollozos», un conjunto de poemas donde aparece la perspectiva del amor en la poética, por

primera vez, como compensación del mundo de la tristeza que
se describe. El mundo compensatorio del amor surge en la
perspectiva de una estructuración del fracaso como desarrollo
poético.

En 1923, Neruda escribe *El hondero entusiasta,* que se pu-
blicará, sin embargo, diez años más tarde. El poeta narró las
circunstancias de creación de la obra años después:

> En 1923, tuve una curiosa experiencia. Había vuelto tarde
> a mi casa en Temuco. Era más de medianoche. Antes de acos-
> tarme, abrí las ventanas de mi cuarto. El cielo me deslumbró.
> Era una multitud pululante de estrellas. Vivía todo el cielo.
> La noche estaba recién lavada, y las estrellas antárticas se
> desplegaban sobre mi cabeza. Me agarró una embriaguez de
> estrellas, sentí un golpe celeste. Como poseído, corrí a mi
> mesa, y apenas tuve tiempo de escribir, como si recibiera un
> dictado. Al día siguiente, leí, lleno de gozo, mi poema noc-
> turno. Es el primero de *El hondero entusiasta*... Me movía de
> una nueva forma como nadando en mis verdaderas aguas. Es-
> taba enamorado y a *El hondero*... siguieron torrentes y ríos de
> versos amorosos...[7].

El poema primero comienza así:

> Hago girar la noche como dos aspas locas...
> en la noche toda ella de metales azules.

El hondero entusiasta surge como inspiración amorosa,
pero, más allá, como intento metafísico de solucionar una angustia envolvente que en el poeta está generando la sensación
de espacio y tiempo:

> Hacia donde las piedras no alcanzan y retornan.
> Hacia donde los fuegos oscuros se confunden.

---

[7]   Neruda, *Obras completas,* ed. de Margarita Aguirre, Hernán Loyola y Al-
fonso M. Escudero, Buenos Aires, Losada, 1962 (2.ª ed.), vol. II, pág. 116.

Al pie de las murallas que el viento inmenso abraza.
Corriendo hacia la muerte como un grito hacia el eco.
El lejano, hacia donde ya no hay más que la noche
y la ola del designio, y la cruz del anhelo.
                              [...]
Pero quiero pisar más allá de esa huella:
pero quiero voltear esos astros de fuego:
lo que es mi vida y es más allá de mi vida,
eso de sombras duras, eso de nada, eso de lejos... [8].

Y, a partir de aquí, está la génesis de la *Tentativa de hombre infinito,* el libro siguiente, donde la metáfora del título ha permitido el brillante trabajo de Alain Sicard [9], dedicado a leer esta clave como origen de la poética nerudiana, en sus comienzos y en sus desarrollos. Y parece evidente que es esta la explicación textual posible del motivo de la angustia que empieza a aparecer en el poema citado de *El hondero...,* cuya imagen pasa de la tristeza y desvalidez de *Crepusculario,* al intento de una actividad capaz de romper las sombras amenazantes, ante las que, *El hondero...* —David frente a Goliat—, sufre sin embargo un nuevo fracaso. Porque la honda del amor sigue siendo tan sólo una posibilidad compensatoria, compulsiva, frente a los comienzos de angustia, frente a la sensación de fracaso. Fracaso que es además el del libro, cuya metáfora principal aparece contenida solamente en el primer poema y cuyo contenido metafórico procede, en inspiración, de la obra del uruguayo, tan admirado por Neruda, Carlos Sabat Ercasty (concretamente de sus *Poemas del hombre: Libro del mar,* de 1922, aunque también hay una común lección whitmaniana).

En 1925 aparece en la Editorial Nascimento *Tentativa de hombre infinito,* obra que cierra este conjunto de incitaciones poéticas que conforman la prehistoria nerudiana. En *Tenta-*

---

[8]   Poema 1, vv. 3-8 y 11-14.
[9]   Alain Sicard, *El pensamiento poético de Pablo Neruda,* Madrid, Gredos, 1981.

tiva... aparece claramente diseñado un mundo propio y profundamente original que, en alguna medida, cumple el papel de génesis del lenguaje de las *Residencias* —también Hernán Loyola ha rastreado otros orígenes en la obra, como el anticipo, con treinta años de distancia, del lenguaje de las primeras *Odas elementales* [10]. *Tentativa...* es un conjunto de fragmentos mediante los que el poeta nos entrega una parcela de su mundo de la infancia, de su naturaleza, junto a la conciencia de su enfrentamiento con el espacio y el tiempo:

> un hombre de veinte años sujeta una rienda frenética
> es que él quería ir a la siga de la noche
> entre sus manos ávidas el viento sobresalta.
>
> (vv. 42-45).

Pero este joven, autorrepresentado en su sur, su casa, su mar, que quiere cabalgar la noche, sabe constatar también el viaje, la finitud y la muerte:

> sin embargo eres la luz distante que ilumina las frutas
> y moriremos juntos
> pensar que estás ahí navío blanco para partir
> y que tenemos juntas las manos en la proa navío siempre
> en viaje.
>
> (vv. 162-166).

Aunque intente provocar la ilusión de detener el tiempo en un cuadrado inmóvil, como en un ejercicio circense:

> y me sorprendo canto en la carpa delirante
> como un equilibrista enamorado o el primer pescador
> pobre hombre que aíslas temblando como una gota
> un cuadrado de tiempo completamente inmóvil.
>
> (vv. 277-280).

---

[10]   Hernán Loyola, «Lectura de *Tentativa de hombre infinito*», *Revista Iberoamericana*, 9 (123-124), abril-septiembre 1983, págs. 386-387.

La línea principal de lectura de *Tentativa...* tiende a ser la indicada por Hernán Loyola en sucesivos trabajos [11]. Para este crítico, el ámbito imaginativo de la obra constituye una emergencia de «La provincia de la infancia», descrita en las prosas de *Anillos* (1924), con las que tiene aspectos coincidentes:

> Provincia de la infancia [...] Pequeña ciudad que forjé a fuerza de sueño, resurges de tu inmóvil existencia [...] El niño que encaró la tempestad y crió debajo de sus alas amargas la boca, ahora te sustenta, país húmedo y callado, como a un gran árbol después de la tormenta. Provincia de la infancia deslizada de horas secretas, que nadie conoció. Región de soledad, acostado sobre unos andamios mojados por la lluvia reciente, te propongo a mi destino como refugio de regreso [12].

El refugio propuesto es el origen del imaginario nerudiano, porque «la pequeña ciudad, el invierno, la lluvia, el viento frenético, los trenes, el bosque, la casa de tablas, la *mamadre,* toda la infancia se precipita de improviso desde el recuerdo al texto, por fin, en grado de acogerla al modo justo: no sólo como memoria, sino, ante todo, como mito fundante, activo, generador» [13]. El nuevo escenario, fecundo en la memoria, lo lleva a un reconocimiento espacial del lugar de la infancia en un momento central como «Esta es mi casa» (vv. 167 y sigs.), donde, tras el reconocimiento, el poeta propone la metáfora decisiva del «viajero inmóvil» (la propuesta de Rodríguez Monegal [14]): «allí tricé mi corazón como el espejo para andar a través de mí mismo...» (v. 170), vinculando la identificación

---

[11]   Hernán Loyola, *Los modos de autorreferencia en la obra de Pablo Neruda,* Santiago, Ed. Aurora, 1964. La perspectiva planteada aquí y en otras obras sirvió a Loyola para confeccionar su fundamental antología comentada: Pablo Neruda, *Antología poética,* Madrid, Alianza Editorial, 1981.

[12]   Pablo Neruda, *El habitante y su esperanza,* Buenos Aires, Losada, 1977.

[13]   Loyola, «Lectura de *Tentativa...*», pág. 372.

[14]   Emir Rodríguez Monegal, *Neruda: el viajero inmóvil,* Caracas, Monte Ávila, 1977

al surgimiento, en el interior de aquella naturaleza —noche, lluvia, tempestad, mar, etc.—, de las grandes obsesiones por el tiempo:

> amaneció sin embargo en los relojes de la tierra
> de pronto los días trepan a los años
> he aquí tu corazón andando estás cansado sosteniéndote
> a tu lado se despiden los pájaros de la estación ausente.

(vv. 192-195.)

Tentativa..., con su disposición de lenguaje sin puntuación, con su apertura al arbitrario imaginativo como fuente metafórica, abre ya elementos de la transformación poética que inmediatamente desembocará en la construcción surreal, aunque lo más importante del libro esté en ese regreso señalado al refugio de la infancia, que es sobre todo una defensa posible contra el tiempo, mediante «cinturones de estrellas», «matorrales crespos adonde el sueño avanza trenes», lluvia, «minerales azules», embarcaderos, campanas, viento, campanarios, tierra solitaria, túneles, mares, etc., en una simbolización poética de sí mismo, duradera e imprescindible a partir de aquí.

ENTRE SANTIAGO Y TEMUCO, HACIA 1923

La construcción poética inicial, con el desarrollo de los primeros mitos creativos, se realiza al mismo tiempo que la escritura del amor juvenil, intensificada en el momento esencial de su estancia en Santiago. En junio de 1924 la Editorial Nascimento, de Santiago, publica VEINTE POEMAS DE AMOR Y UNA CANCIÓN DESESPERADA, libro escrito a lo largo de 1923 en su mayor parte, del que habían aparecido ya algunos poemas en las revistas *Claridad* y *Zig-Zag,* de Santiago[15]. Los

---

[15]   En *Claridad*, núm. 109, del 13 de octubre de 1923, aparece el poema 4 con el título «La tempestad»; en el núm. 121, de mayo de 1924, el poema 14;

VEINTE POEMAS... significan, sobre todo, un ejemplo para entender la fortuna literaria de Neruda; su conexión en 1924 con una sensibilidad adolescente y posromántica; una relación con el lector que el tiempo se encargaría de acrecentar. La recepción de este libro, del que se han editado millones de copias sólo en castellano, significa, sobre todo, la potencialidad comunicativa del autor, su capacidad de crear un breviario sentimental de sensaciones transmisibles.

Neruda dejó varios testimonios y valoraciones de esta obra. El primero es muy temprano, casi coetáneo a su escritura, y dice así:

> Emprendí la más grande salida de mí mismo: la creación, queriendo iluminar las palabras. Diez años de tarea solitaria, que hacen con exactitud la mitad de mi vida, han hecho sucederse en mi expresión ritmos diversos, corrientes contrarias. Asimismo, trenzándolos sin hallar lo perdurable, porque no existe, ahí están *Veinte poemas de amor y una canción desesperada*. Dispersos como el pensamiento en su inasible variación, alegres y amargos, yo los he hecho y algo he sufrido haciéndolos. Sólo he cantado mi vida y el amor de algunas mujeres queridas, como quien comienza por saludar a gritos grandes la parte más cercana del mundo [16].

---

en el núm. 115, del 24 de noviembre de 1923, el poema 20 con el título «Tristeza a la orilla de la noche». En *Zig-Zag*, núm. 1001, del 26 de abril de 1923, aparece el poema 6 con el título «Pasado»; en el núm. 938, del 10 de febrero de 1923, el poema 12 con el título «Vaso de amor»; en el núm. 985, del 5 de enero de 1924, el poema 15 con el título «Poesía de su silencio». Los datos y los materiales están publicados en la edición de Gabriele Morelli de la obra que cito en la bibliografía. En las notas a los poemas he dado las variaciones más importantes que indican el proceso de creación.

[16]   Pablo Neruda, *Para nacer he nacido,* Barcelona, Bruguera, 1980, pág. 25. El texto es de 1924 y se titula «Exégesis y soledad». Está reproducido en el apartado de Documentación complementaria.

Años después, el autor reflexiona acerca del significado de los VEINTE POEMAS..., en relación al antes y al después de su escritura, en los siguientes términos:

> Terminó allí mi ambición cíclica de una ancha poesía, cerré la puerta a una elocuencia desde ese momento para mí imposible de seguir, y reduje estilísticamente, de una forma deliberada, mi expresión. El resultado fue mi libro *Veinte poemas de amor y una canción desesperada.* Sin embargo, este libro no alcanzó para mí, aun en esos años de tan poco conocimiento, el secreto y ambicioso deseo de llegar a una poesía aglomerativa en que todas las fuerzas del mundo se juntaran y se derribaran [17].

En sus memorias, Neruda da cuenta del momento de creación y datos sobre las personas que están detrás de los poemas. En el siguiente fragmento, podemos encontrar además una valoración que puede confrontarse con las opiniones de la crítica que veremos inmediatamente:

> Los *Veinte poemas de amor y una canción desesperada* son un libro doloroso y pastoril que contiene mis más atormentadas pasiones adolescentes, mezcladas con la naturaleza arrolladora del sur de mi patria. Es un libro de amor porque a pesar de su aguda melancolía está presente en él el goce de la existencia. Me ayudaron a escribirlo un río y su desembocadura: el río Imperial. Los *Veinte poemas* son el romance de Santiago, con las calles estudiantiles, la universidad y el olor a madreselva del amor compartido. Los trozos de Santiago fueron escritos entre la calle Echaurren y la avenida España y en el interior del antiguo edificio del Instituto Pedagógico, pero el panorama son siempre las aguas y los árboles del sur. [...] Siempre me han preguntado cuál es la mujer de los *Veinte poemas,* pregunta difícil de contestar. Las dos o tres que se entrelazan en esta melancólica y ardiente poesía corresponden, digamos, a Marisol y Marisombra. Marisol es el idilio

---

[17]   Neruda, *Obras completas,* ed. cit., pág. 1118.

de la provincia encantada con inmensas estrellas nocturnas y ojos oscuros como el cielo mojado de Temuco. Ella figura con su alegría y su vivaz belleza en todas las páginas, rodeada por las aguas del puerto y por la media luna sobre las montañas. Marisombra es la estudiante de la capital. Boina gris, ojos suavísimos, el constante olor a madreselva del errante amor estudiantil, el sosiego físico de los apasionados encuentros en los escondrijos de la urbe [18].

La reconstrucción biográfica de la peripecia amorosa a través de una correspondencia, y el papel central de Albertina Rosa Azócar, tanto en la configuración amorosa de esta obra como en *El hondero entusiasta* y en el amor de la primera *Residencia en la Tierra,* aparecen en *Cartas de amor de Pablo Neruda,* donde el compilador, Sergio Fernández Lerraín, reconstruye y edita las 111 cartas a Albertina, que contienen informaciones valiosas sobre el destino de algunos poemas y la composición de la obra [19].

UN SENTIDO ESENCIAL
Y ALGUNOS MOMENTOS CENTRALES

VEINTE POEMAS DE AMOR Y UNA CANCIÓN DESESPERADA es la historia de un encuentro y un fracaso amoroso, historia narrada desde un pasado, en el que se evoca el mundo como una frustración en la que el amor pudo ser salvación:

Fui solo como un túnel. De mí huían los pájaros
y en mí la noche entraba su invasión poderosa.

---

[18]   Neruda, *Confieso...,* págs. 64-65.
[19]   Sergio Fernández Lerraín, *Cartas de amor de Pablo Neruda,* Madrid, Ediciones Rodas, 1974. Sobre el mismo episodio, y publicando gran parte de este material también con facsímiles, vd. Pablo Neruda, *Cartas y poemas,* Introducción y notas de Juan Ignacio Poveda, testimonio de Albertina Rosa Azócar, Madrid, Edilán-Banco Exterior de España, 1990.

> Para sobrevivirme te forjé como un arma,
> como una flecha en mi arco, como una piedra en mi honda.
>
> (VPA, 1).

El encuentro amoroso es supervivencia, y el poeta, siguiendo su propia textualidad, plantea el amor en el interior del mito ya creado del hondero, cuya piedra aquí romperá ansiedad y sombras. Y en esa ruptura, el eros irrumpe con esa fuerza lingüística que la poesía amorosa de Neruda ampliará siempre; es el eros, presente en el «Cuerpo de mujer, blancas colinas, muslos blancos», que abre los VEINTE POEMAS... Para la acumulación de la experiencia amorosa, la descripción de la amada en la naturaleza, quizá la mujer-tierra:

> En ti los ríos cantan y mi alma en ellos huye
> ....
> En torno a mí estoy viendo tu cintura de niebla
> y tu silencio acosa mis horas perseguidas,
> y eres tú con tus brazos de piedra transparente
> donde mis besos anclan y mi húmeda ansia anida,
>
> (VPA, 3).

corre pareja a esa amada inmaterial que es la «mariposa de sueño», «mariposa en arrullo» del poema 15, o la «pregunta de humo» del 11; o las formas metafóricas del silencio: «Muda mi amiga» (poema 2), «Ah, silenciosa» (poema 8); o el placer por el mutismo de la amada narrado en el poema 15, donde se sintetiza la inmaterialidad, el silencio y la sensación de ausencia:

> Me gustas cuando callas y estás como distante.
> Y estás como quejándote, mariposa en arrullo.
> Y me oyes desde lejos, y mi voz no te alcanza:
> déjame que me calle con el silencio tuyo.
>
> (VPA, 15).

La mujer aquí es una imagen bipolar de lo material-inmaterial. Es una totalidad alcanzada. Un pasado y un presente en el que, en la mayor parte de la obra, se funden las sensaciones.

El presente amoroso, que narra una plenitud, dura en el libro, con altibajos y memoria, hasta el poema 19. Es una plenitud, por otra parte, constituida en el interior de una naturaleza que se convierte a partir de aquí en características: sol, grandes raíces, vastedad de pinos, rumor de olas, crepúsculo, caracolas, ríos, cintura de niebla, atardecer, espigas, viento, tempestad, verano, nubes, árboles, hojarasca, pájaros, ola sin espuma, gaviotas, playas, yedras, uvas, otoño, enredadera, jacinto azul, cielo, cerros, estanque en calma, hojas secas de otoño, mar, orilla, faro, tinieblas, estrellas, noche, mariposas, aguas, rosas, peces, poniente, montañas, luna, rocío, corolas, horizonte, puertos, estrellas del sur, lluvia, temporal, madreselvas, ciruelas, lucero, copihues, avellanas, primavera, brisa, abejas, trigal, amapolas, etc. Y, en esta serie de naturalezas que enmarca los primeros diecinueve poemas, obtenemos también, confusamente, la sensación cíclica de una temporalidad natural: veranos, otoños, inviernos, primaveras, en la evolución progresiva de los términos que señalan además el ciclo del amor. Todo este campo es también una fuente continua de generación metafórica: la amada, él mismo, las situaciones vividas, se definen por estas metáforas de naturaleza. Veamos, como ejemplo, cómo describe a la amada con elementos naturales en los siguientes versos:

> Ah vastedad de pinos, rumor de olas quebrándose,
> lento juego de luces, campana solitaria,
> crepúsculo cayendo en tus ojos, muñeca,
> caracola terrestre, en ti la tierra canta!
>
> (VPA, 3).

Y cómo también se atribuye e identifica a sí mismo con elementos naturales:

> Voy, duro de pasiones, montado en mi ola única,
> lunar, solar, ardiente y frío, repentino,

dormido en la garganta de las afortunadas
islas blancas y dulces como caderas frescas.

(VPA, 9).

O le sirven de marco de la situación amorosa:

Aquí te amo.
En los oscuros pinos se desenreda el viento.
Fosforece la luna sobre las aguas errantes.
Andan días iguales persiguiéndose.

(VPA, 18).

Por otra parte, se evidencia un paisaje que va a ser continuo: el paisaje de la infancia, el de la costa del sur, el de Temuco, como espacio de creación metafórica y marco de la
relación amorosa. Porque si, efectivamente, el libro está dedicado a dos mujeres, una de Temuco (Terusa: Teresa Vázquez
León), otra de Santiago (Albertina Rosa Azócar), en el poema
más urbano, el 6, en el recuerdo de un crepúsculo otoñal en un
jardín de la ciudad, el poeta plantea su necesidad de regreso al
paisaje de la naturaleza:

Siento viajar tus ojos y es distante el otoño:
boina gris, voz de pájaro y corazón de casa
hacia donde emigraban mis profundos anhelos
y caían mis besos alegres como brasas.
Cielo desde un navío. Campo desde los cerros.

(VPA, 6).

El poema 7 puede ser un ejemplo útil para comenzar a recorrer
otros elementos de la construcción imaginativa que Neruda está
desarrollando ya en estos versos juveniles. El mar polariza en él
la visión de la amada y, ante éste, el poeta es un pescador cuyas
redes buscan los ojos de la mujer para atraparlos:

Inclinado en las tardes tiro mis tristes redes
a tus ojos oceánicos.

La mirada de ésta es océano y tiniebla, mientras la imaginación marítima se despliega en la figura de un náufrago, asociada a la soledad. El escenario es probablemente la costa cercana a Temuco, sobrecogedora en la narración autobiográfica del tiempo juvenil que citaba antes. Los acantilados de la infancia pasan a ser ahora «costa del espanto», emergente de los ojos de la amada. El poema adquiere una indudable eficacia imaginativa que, además, va a ser duradera, centrando el espacio de explicación de la situación amorosa en un juego entre ansiedad y explicación existencial mediante una polarización doble del mar (océano y costa del espanto). Sobre los valores significativos del material metafórico, sobre el contraste entre luz y sombra en el poema y su estructuración a partir de la construcción narrativa en primera persona, ha escrito un interesante apunte Bonnie M. Brown [20], en el que destaca la fijación y el despliegue de esta primera persona, en la relación inmediata con el tú, en otros momentos de la producción nerudiana.

Es importante entender, por otra parte, el conjunto de referencias culturales que comienzan a aparecer en esta poesía juvenil, junto a las resonancias biográficas. Juan Loveluck planteó un brillante análisis a partir del motivo principal de otro poema (el número 9) utilizando como punto de arranque la variación existente entre la primera y la segunda redacción de la composición, realizada en un ciclo temporal que va de 1924 (primera edición) a 1932 (segunda edición). En esta última la estrofa inicial es:

> Ebrio de trementina y largos besos,
> estival, el velero de las rosas dirijo
> torcido hacia la muerte del delgado día
> cimentado en el sólido frenesí marino.

---

[20]   Bonnie Brown, «The construct of The first-person speaker in three of Pablo Neruda's poems», *Journal of Spanish Studies: Twentieth Century,* 8 (3), 1980, págs. 45-85.

El «velero de las rosas» como «navío del eros» es analizado por Loveluck en su vinculación con la tradición simbolista de «le beau navire», recordando el símbolo abundante en *Les fleurs du mal* baudelairianas, en «Brise marine», de Mallarmé o en «Le bateau ivre», de Rimbaud. Tras recordar la temprana lectura por Neruda de los simbolistas, ya en el tiempo estudiantil de Temuco, Loveluck plantea en su análisis que la primera estrofa estaría próxima, en su variación, al lenguaje de las *Residencias,* redondeando un poema que para el crítico se centra básicamente en la tensión del eros, en el interior de una «continuada metáfora náutica de la pareja-navío sobre un lecho de mar», tensión que se resuelve además mediante imágenes que indican «la conducta física de la pareja [...] lo que da al conjunto de los veinte versos su condición "vacilante", su construcción caliginosa, como un clima borroso de sueños y lentitud motriz»[21].

Fundamental me parece una matización de este comentario realizada por Donald Shaw[22], en la que comienza recordando la tradición europea e hispánica de los «mares de amor», cuya lección es abundante desde fines de la Edad Media. Tras un minucioso análisis en el que destaca la contraposición de los espacios de alegría y desconfianza de la primera estrofa, frente al tono regular de pesadumbre del resto, Shaw ofrece una perspectiva ambivalente que complementa la lectura de Loveluck como escapismo erótico con una visión doble, amarga y dulce a la vez, en la que el poema enfatiza sobre todo un estado existencial: el mar metaforiza también lo que impide la realización del amor, anunciando globalmente elementos del lenguaje de las *Residencias.*

---

[21]   Juan Loveluck, «El navío de Eros: Veinte poemas de amor..., número 9», *Simposio Pablo Neruda. Actas,* Columbia, Carolina del Sur, 21-23 de noviembre de 1974, ed. de I. J. Lévy y J. Loveluck, University of South Carolina, New York, Las Américas, 1975, págs. 219-231.

[22]   Donald Shaw, «Ebrio de trementina...: Another Vier», *Readings in Spanish and Portuguese Poetry for Geoffrey Connell,* Glasgow, University of Glasgow, Dep. of Spanish Studies, 1985, págs. 235-240.

La historia del libro es la de la pasada plenitud en el amor, constelada también por la angustia:

> Ámame, compañera. No me abandones. Sígueme.
> Sígueme, compañera, en esa ola de angustia,
>
> (VPA, 5).

que acaba en el famosísimo poema 20, donde desde el presente, se narra el amor como un acontecimiento del pasado.

> Puedo escribir los versos más tristes esta noche.
> Yo la quise, y a veces ella también me quiso,

en el que se funden las sensaciones de la noche estrellada, los astros azules y el viento que gira en la noche, haciendo persistir aquel pasado en este presente de soledad:

> En las noches como ésta la tuve entre mis brazos.
> La besé tantas veces bajo el cielo infinito,

y observando la perdurable naturaleza junto a la transformación de los sujetos del amor:

> La misma noche que hace blanquear los mismos árboles.
> Nosotros, los de entonces, ya no somos los mismos.

El mecanismo de la melancolía nerudiana se evidencia a lo largo de ese poema 20, en el que el testimonio del fracaso del amor abre camino aún a la esperanza, planteada como recuperación («mi alma no se contenta con haberla perdido»), dentro de una serenidad emocional que sólo se interrumpirá en «La canción desesperada».

Este poema, que cierra la peripecia amorosa descrita, por la bipolaridad del objeto amoroso tendría su origen en la mujer de Temuco, aunque, por el hecho de cerrar el conjunto poético, podemos pensar, con Rodríguez Monegal (quien se re-

fiere en este caso a la mujer del poema 6), que «... los poemas
no hayan sido creados de forma tan simétricamente aislada;
las dos musas de carne bien pueden confundirse a veces en
una sola, hecha de sonidos y visiones» [23].

La estructura metafórica principal la forman un conjunto de
imágenes marítimas desoladas: los muelles son ahora el espacio de la despedida y el abandono, espacio descrito en el interior del símbolo romántico de la noche:

> Emerge tu recuerdo de la noche en que estoy.

Desde el presente de desolación, la estructura verbal se despliega hacia un pasado de evocación del amor:

> Era la alegre hora del asalto y el beso.
> La hora del estupor que ardía como un faro.
> [...]
> Oh carne, carne mía, mujer que amé y perdí,
> a ti en esta hora húmeda, evoco y hago canto.
>
> Como un vaso albergaste la infinita ternura,
> y el infinito olvido te trizó como a un vaso.
>
> Era la negra, negra soledad de las islas,
> y allí, mujer de amor, me acogieron tus brazos.
>
> Era la sed y el hambre, y tú fuiste la fruta.
> Era el duelo y las ruinas, y tú fuiste el milagro.
> [...]
> Oh la boca mordida, oh los besados miembros,
> oh los hambrientos dientes, oh los cuerpos trenzados.
>
> Oh la cópula loca de esperanza y esfuerzo
> en que nos anudamos y nos desesperamos.

---

[23]   Emir Rodríguez Monegal, ob. cit., pág. 49.

> Y la ternura, leve como el agua y la harina.
> Y la palabra apenas comenzada en los labios.

Esta temporalidad se asocia, a veces, con una estructura espacial en la que el presente tiende a coincidir con el espacio de lo descendido, como clave del derrumbe de las cosas y del amor que se ha vivido,

> Oh sentina de escombros, feroz cueva de náufragos!
> [...]
> Cementerio de besos, aún hay fuego en tus tumbas,

mientras el pasado se articula básicamente en una plenitud ascensional,

> En ti se acumularon las guerras y los vuelos.
> De ti alzaron las alas los pájaros del canto.
> [...]
> Era la alegre hora del asalto y del beso.
> La hora del estupor que ardía como un faro,

aunque la experiencia amorosa se resuelva, asociada a la metáfora marítima, en un reiterado, y descensional, «todo en ti fue naufragio».

En otros momentos del poema, la referencia intertextual nos descubre la dimensión salvadora del espacio amoroso en relación al momento poético anterior, el de *El hondero entusiasta,*

> Hice retroceder la muralla de sombra,
> [...]
> .... desventurado hondero,

resolviéndose el material metafórico en relación directa al primer poema de aquel libro:

El hondero que trice la frente de la sombra,
las piedras entusiasta que hagan parir la noche.
La flecha, la centella, la cuchilla, la piedra.
Grito. Sufro. Deseo. Se alza mi haz, entonces
hacia la noche llena de estrellas en derrota.

(HE, 1: 68-71).

Pero el presente ahora es precisamente la restitución, tras el fracaso, del mismo espacio de sombras:

Abandonado como los muelles en el alba.
Sólo la sombra trémula se retuerce en mis manos.

En cualquier caso, a lo largo del poema queda un elemento positivo destacable de aquella experiencia amorosa: precisamente la posibilidad misma de la poesía, la tematización introducida por la palabra canto:

De ti alzaron las alas los pájaros del canto.
[...]
Oh carne, carne mía, mujer que amé y perdí,
a ti en esta hora húmeda evoco y hago canto.
[...]
aún floreciste en cantos, aún rompiste en corrientes.

El canto es identificado directamente en una relación plenitud/fracaso, aunque la sensación de fracaso, conclusiva, se acumula en todos los versos, transmutando la naturaleza y el escenario en soledad y angustia: lamento del río y abandono de los muelles en el alba, lluvia de frías corolas, infancia de niebla, cementerio de besos, etc., hasta el final de la experiencia amorosa, final planteado como partida, en una apertura temporal a un futuro insistente que se presenta ya sólo a partir de la despedida:

Abandonado como los muelles en el alba.
Sólo la sombra trémula se retuerce en mis manos.

> Ah más allá de todo. Ah más allá de todo.
> Es la hora de partir. Oh abandonado!

Se ha cumplido aquí este primer ciclo amoroso nerudiano. Progresivamente se ha alcanzado una nueva frustración, más concreta que la del hondero, más concerniente a la biografía personal que la abstracta ansiedad de la poesía anterior. Pero lo importante es, sobre todo, el anuncio realizado acerca de la posibilidad de la propia poesía: el amor como testimonio, sobre todo estilístico, de una nueva capacidad de narrarse, el descubrimiento de una naturaleza propia y capaz de metaforizar una situación esencial; el hallazgo de un lenguaje con el que se posibilita una relación nueva con el lector, con millares de lectores capaces de encontrar en estos poemas la ternura, la soledad o la melancolía como explicación de ellos mismos.

VISIONES CRÍTICAS PRINCIPALES DE *VEINTE POEMAS...*

Se ha esbozado una interpretación de VEINTE POEMAS... que es interesante completar con una importante serie de visiones críticas que cito, muy resumidamente, a continuación.

En primer lugar, la tipificación de la melancolía en los VEINTE POEMAS..., en tránsito hacia la angustia que aparece en la poesía inmediatamente posterior. Ésta es la visión de Amado Alonso:

> En la poesía juvenil es una melancolía que se viste de nostalgia: la tristeza del bien perdido, que se remansa en el recuerdo. Allí las aguas del sentimiento cabecean con embestidas amenazadoras de angustia, pero todavía se resuelven en melancolía, un modo de felicidad, en resumidas cuentas, porque el sufrimiento se contempla a sí mismo envuelto en belleza y hecho canción: «Puedo escribir los versos más tristes esta noche. / Pensar que no la tengo. Sentir que la he perdido». [...] La melancolía del perpetuo adiós a las cosas que se han ido es todavía

un modo de retenerlas, es el pago en tristeza en gracia del cual revivimos en nuestra alma momentos de felicidad ya idos. En la obra poética de Neruda, encontramos primero temas biográficos de melancolía que atraviesan el alma como nubes; luego ya no es un modo de estar el alma, es un modo de ser: la bruma ha llenado todo el ámbito y ya hasta la luz solar del amor actual alumbra ensordinada con halos de melancolía; la alegría lleva en sí la tristeza (poemas 14 y 15). Es un sentimiento que a veces pierde su blandura, abandono y resignación, agrietados por relámpagos de angustia (poema 11) [24].

Interesa también destacar, como ya hemos anticipado, el papel de la naturaleza en la obra, el papel del paisaje configurando la visión de la mujer y del protagonista lírico, como describe Saúl Yurkiévich:

> ... para caracterizar a ambas mujeres Neruda no puede dejar de establecer parangones naturales, porque la naturaleza está para él investida de los más admirados atributos, de una fascinación majestuosa, de un halo con el cual busca siempre mancomunarse. Nada mejor para ensalzar a la amada que confrontarla, que equipararla con poderes y elementos naturales, como si ella resumiese todo lo creado. La mujer se inviste de todas las propiedades telúricas, depara los mismos gozos que los frutos terrestres, posee el mismo dinamismo, sufre todas las mutaciones del mundo natural. [...] El paisaje se acondiciona al yo protagónico; es un recurso romántico: todo el acaecer natural está identificado con estados anímicos; hay un doble, simultáneo y confundido paisaje, a la vez externo e interno. Amante, amada y mundo se fusionan en la turbamulta de imágenes y sentimientos inextricablemente entramados, en una abigarrada tesitura de significaciones que se interponen y superponen [25].

---

[24]   Amado Alonso, *Poesía y estilo de Pablo Neruda,* Barcelona, Edhasa, 1979, pág. 16. La primera edición de este estudio fundamental es de 1940.

[25]   Saúl Yurkiévich, *Fundadores de la poesía latinoamericana,* Barcelona, Barral, 1973, págs. 183-184.

La configuración sociológica de los sentimientos que se desarrollan en la obra ha sido objeto de una acertada valoración de Jaime Concha:

> Tal es su poesía, la de un ser que habita en medio de la naturaleza y que hace de toda ella su gran vivienda imaginaria, la de un ser que omite en ella una alimentación que siempre ha sido considerada subpoética, y que de pronto nos deja una insignificante señal de su precariedad social: el testimonio de su traje. Gris es aquí el color de la pobreza, un color opaco y desvaído. Lo decimos sin ambages: si hay algo que representa la poesía de los *Veinte poemas,* si hay algo que determinó una lectura tan extendida en los países del continente, no es otra cosa que el eros de la pobreza, un amor a la medida de la clase media [26].

Eduardo Camacho Guizado ha insistido por su parte en la óptica determinante de la obra como el tránsito de una situación amorosa hacia la soledad y el dolor, en un deambular del sujeto lírico por varios espacios sentimentales:

> Un amor que se inicia en la posesión del objeto amado, que va dejando poco a poco traslucir la ausencia, la melancolía, y termina en la separación, la soledad y la desesperación y en ocasiones inicia la angustia de *Residencia en la tierra.* Así pues, hay un momento de clara plenitud amorosa, seguido de otras situaciones decrecientes hasta llegar al final solitario, a la lamentación del abandono doloroso. A mi juicio, más que el número de figuras femeninas, lo que importa es el transcurso, la evolución del deseo, de la pasión o el sentimiento amoroso y sus circunstancias [27].

En 1979, Gabriele Morelli publicó una valiosa monografía con el título *Strutture e lessico nei «Veinte poemas de amor»*

---

[26] Jaime Concha, «Sexo y pobreza», *Revista Iberoamericana,* 82-83, 1973, págs. 135-158.
[27] Eduardo Camacho Guizado, *Pablo Neruda: Naturaleza, Historia y Poética,* Madrid, SGEL, 1978, pág. 28.

de Pablo Neruda. Se trata de un estudio de los poemas primero, sexto, séptimo, octavo y vigésimo de la obra, partiendo de un estudio de la unidad, morfológica y semántica, de sus elementos compositivos, mediante la que los temas propuestos por el poeta («celebración erótica, nostalgia de la mujer lejana, dolor existencial») aparecen «revelando desde el punto de vista del contenido estrechas conexiones con la matriz de derivación romántica y modernista», mientras el sistema lingüístico demuestra la novedad de «un dramatismo de fondo, generador de oscuras tensiones emotivas» [28]. El análisis minucioso de las estructuras del texto lleva a rigurosas observaciones sobre los valores de los poemas analizados, demostrando una articulación compositiva que saca definitivamente a los VEINTE POEMAS... del espacio de los impulsos juveniles, para entroncarlos con un sistema de elaboración complejo.

Un interesante análisis es el de Alfredo Lozada, que pone de manifiesto centralmente, frente a otras visiones, la relación de la tensión planteada por esta obra con las tensiones que la obra posterior va a desarrollar, en una dialéctica que se establece a partir del protagonismo lírico y su vinculación al amor, en los VEINTE POEMAS..., y al mundo, en *Residencia en la tierra*:

> Pues bien, en el examen [...] del libro no se ha discernido en él ni una celebración del amor carnal, ni una historia sentimental que acaba linealmente en el desengaño y el fracaso, ni un truco literario, ni tampoco una mera complacencia estética. Lo que acusan más bien los poemas es, fundamentalmente, el influjo de una tensión temática, vivida intensamente por Neruda, cara al poeta romántico que pulsa la cuerda sentimental: la relación con una amada ausente, perdida. Con estos sentimientos de ausencia y de pérdida, y con

---

[28] Gabriele Morelli, *Strutture e lessico nei «Veinte poemas de amor» di Pablo Neruda,* Milán, Cisalpino-Goliardica, 1979, pág. 5. En su edición de la obra (1994) pone en juego sistemática y rigurosamente los principios establecidos en esta monografía.

sus corolarios emotivos de melancolía, añoranza, soledad, incertidumbre, se han construido tanto la imagen poética —dulce
y doliente— de la amada como la relación amorosa —triste,
exaltada y ávida a ratos, de tono íntimo y directo— expresada
en el libro [...] En esta dirección se va a desarrollar también la
poesía posterior. La reiterada melancolía crepuscular docu-
menta el despunte de la afición poética al espanto. El sentimiento de pérdida y ausencia de la amada —bajo cuyo in-
flujo parece a veces que la mujer debe estar ausente para
desempeñar su función poética— se ensanchará en la intuición de la pérdida y destrucción incesante del mundo y de
los seres en *Residencia en la tierra, II* (1932-1935). Esta intuición, no obstante, es sólo parte de la visión que se poetiza
en el libro. [...] Se pasará así, pues, de una etapa de melancólica sabiduría sentimental *(Veinte poemas)* a otra de conciencia metafísica reductora, en donde lo que se contempla es
fundamentalmente la suerte del hombre en el universo. De
igual manera, el desasosiego amoroso acaecido bajo la intuición de que el amor es dolor («Te ceñiste al dolor, te agarraste al deseo») se convertirá en el libro posterior *(Residencia...)* en desesperación erótica, y la expresión desgarrada
conscientemente entre el deseo y el rechazo de la mujer an-
helará salvar de la perplejidad una postura personal respon-
sable. Los *Veinte poemas...* son, pues, punto de arranque de
temas y actitudes cardinales. No se interpreten, por tanto, los
versos de este poemario como la exhibición inorgánica y
complacida de una juvenil tristeza literaria acaso más imagi-
nada que vivida... [29].

También, en otra dirección, Alain Sicard ha señalado la importancia de esta obra como síntesis de todas las tensiones estilísticas y temáticas que habían aparecido antes de ella: «...
Veinte poemas representa en la evolución del poeta el momento de un replegarse, de una pausa necesaria, a lo largo de

[29] Alfredo Lozada, «La amada crepuscular: *Veinte poemas de amor y una canción desesperada*», *Pablo Neruda,* ed. de Emir Rodríguez Monegal y En-rico Mario Santí, Madrid, Taurus (col. El escritor y la crítica), 1980, pág. 102.

la cual medita sobre las tentativas precedentes y realiza la síntesis de todas ellas»[30].

Nos parece de un valor imprescindible la visión de Hernán Loyola, en la que se sintetiza la importancia de la obra en relación a la autorrepresentación del sujeto lírico y su espacio de naturaleza, el sur de la infancia:

> *Veinte poemas de amor* comporta el salto de cualidad que introduce en la poesía de Neruda las claves de su desarrollo. Por eso Neruda comienza de veras con VPA. Este libro inaugura una dialéctica decisiva: la revelación del yo lírico nerudiano es inseparable de la revelación de un cierto espacio que le es propio, de una específica circunstancia. O, si se prefiere: en VPA la tentativa de autorrepresentación del hablante se textualiza por primera vez en interdependencia estructural con una tentativa de sustantivación de su espacio personal (en el caso concreto: como una tentativa de sustantivación mitificante del espacio fundador, de la provincia de la infancia)[31].

Una insistencia sobre los espacios esenciales que el libro recorre es la de Guillermo Araya (1982), al analizar VEINTE POEMAS... en la perspectiva de los poemarios cíclicos, frente a las construcciones fragmentarias, y mediante la tematización de la historia sentimental de un amor adolescente, para lo que hace hincapié en los diferentes aspectos del yo lírico y en las sucesivas figuras de la amada[32].

---

[30]   Alain Sicard, ob. cit., pág. 45.

[31]   Aunque el párrafo corresponde a la antología ya citada, pág. 39, el desarrollo amplio del planteamiento está en el estudio *Los modos de autorreferencia...,* cit., y en *Ser y morir en Pablo Neruda,* Santiago de Chile, Ed. Santiago, 1967.

[32]   Guillermo Araya, «Veinte poemas de amor y una canción desesperada», *Bulletin Hispanique,* 84: 1-2, 1982, págs. 145-186.

LÍNEAS DEL DESARROLLO POSTERIOR
A *VEINTE POEMAS...*

Es imposible sintetizar aquí la construcción posterior a VEINTE POEMAS... Varios ciclos poéticos diferenciados cubren una de las producciones líricas más extensas de nuestra lengua. Neruda escribió centenares de páginas que conformaron más de cuarenta libros de poesía. Su vida se vinculó con frecuencia, además, a acontecimientos históricos que lo hacen un testigo principal del siglo que se está acabando: sus consulados en Asia a partir de 1927; la España de la Segunda República, a partir de 1934, y la guerra civil española de 1936; su regreso a América y a Chile en 1939; su vinculación política al partido comunista chileno a partir de 1945, del que fue senador; su persecución y exilio en 1949; su periplo europeo; su regreso a Chile y la creación de un refugio en Isla Negra, desde donde iniciará un ciclo poético memorial; su tercer matrimonio en 1966 con Matilde Urrutia, generando un nuevo ciclo de poesía amorosa (iniciado de todas formas en la isla de Capri, en 1952, con *Los versos del capitán*); su candidatura a la presidencia de la República en 1969 y la retirada de la misma para apoyar a su amigo, el socialista Salvador Allende; la embajada en Francia en 1970, tras el triunfo de la coalición de izquierdas Unidad Popular; el Premio Nobel en 1971; la enfermedad, hasta su muerte el 23 de septiembre de 1973, a los pocos días del golpe de Estado fascista del general Pinochet, que derrocó al gobierno de Unidad Popular y asesinó al presidente Allende... Son demasiados acontecimientos que tuvieron su reflejo en una poesía escrita al filo de la historia muchas veces.

Pero retomemos un momento el hilo poético que habíamos dejado en 1924. Nos habíamos quedado con la imagen del adolescente que decía «Es la hora de partir. Oh abandonado!». El «abandonado» iba a iniciar aquel tránsito que definió muy bien Amado Alonso en la obra ya citada. De la melancolía del sujeto lírico de los VEINTE POEMAS..., transitamos en seguida a un espacio de angustia que conforma el ambiente de un libro que fue sorprendente, *Residencia en la tierra* —dos partes: RST (I), aparecida en Santiago en 1933, y RST (II), aparecida en Madrid en 1935—. Una síntesis de la obra nos la proporciona este verso: «del río que durando se destruye». El hombre infinito, con su tentativa a cuestas, comprueba el fracaso de su infinitud con el triunfo de un tiempo destructor, un tiempo que nos mira desde el fondo del océano, en un mar desolado y destruido. La naturaleza —transmutando la experiencia de Asia— se nos llena ahora de destrucciones, de desasimientos, de imágenes surreales que significan —como el verso que citaba, antiheraclitiano— no el fluir cíclico, sino el tránsito estéril de un universo que se nos llena de aniquilamiento y angustia. *Residencia en la tierra* se convierte en uno de los libros esenciales de la vanguardia hispanoamericana, en una construcción aglomerativa de un lenguaje surreal que, al dar cuenta de la naturaleza que se destruye, nos informa de la angustia del sujeto lírico.

Una experiencia histórica, la guerra civil española de 1936, hace salir al poeta de su estado de ensimismamiento. Del ámbito de la angustia metafísica, el poeta sale al espacio de una angustia histórica que puede ser, sin embargo, salvadora: *Tercera residencia,* que se publica en 1939 con una parte esencial titulada *España en el corazón,* es el encuentro con un nuevo sentido: la historia solidaria nos va a permitir reconstruir la totalidad destruida. En 1948 había comenzado a escribir el *Canto general,* que aparecerá en 1950: un recorrido por la historia y el mito lo hace enfrentarse con la materialidad de América. La naturaleza, por ejemplo, está sintetizada de otra forma: «en la fertilidad crecía el tiempo». La historia tiene un optimismo latente a pesar de su violencia: la esperanza reconstruye la nueva realidad y, al hacerla, la misma naturaleza se rehace, junto con el tiempo. Una vez definí el tránsito operado a través de una metáfora construida por dos títulos y dos sentidos del filósofo francés Jean Paul Sartre: Neruda ha transitado también de *El Ser y la Nada* a la *Razón dialéctica (Crítica de la razón dialéctica,* 1960; la primera obra es de 1943). No hablo, por tanto, de una lectura directa, sino de un tránsito que es generacional, el que va del existencialismo al marxismo, integrando los dos.

La obra sigue a partir de aquí con nuevos ciclos: el amor, con un eros impetuoso en *Los versos del capitán* (Nápoles, 1952), o el replegamiento cotidiano de los *Cien sonetos de amor* (1959); las cosas elementales, el canto a la materia sencilla en los libros del ciclo de las *Odas elementales;* la remembranza inaugurada en *Memorial de Isla Negra* (1964); la poesía directamente política, hasta panfletaria, de *Canción de gesta,* dedicada a la revolución cubana en 1960, o, en 1973, el año de su muerte, su *Incitación al nixonicidio y alabanza de la revolución chilena.*

Muchas páginas en unos cuarenta libros, desde que el joven poeta publicase los *Veinte poemas...,* en las que no será difícil rastrear caídas, improvisaciones, pero donde es imposible no encontrar una lección de poesía que está entre las más originales del siglo. Giuseppe Bellini sintetizó muy bien un sentido para toda su obra, y quiero recordarlo para concluir. Dice así:

> Sus versos tienen ya puesto permanente en la casa de la poesía y en nuestro espíritu; han marcado profundamente una época, la historia interna y externa de un siglo, con su sello dramático pero también con una obstinada esperanza, una inquebrantable fe en un futuro de signo feliz. En otra ocasión he definido a Neruda como inventor incansable de utopías: felices utopías que permiten resistir el embate de la desesperanza, frente a la maldad y la injusticia. Neruda ha sido efectivamente el intérprete de un siglo. Ninguno como él lo ha vivido con tanta intensidad y pasión. Podemos decir todo lo que parezca en torno a su «humanidad», criticarlo por sus equivocaciones políticas, de las que a veces, con bastante torpeza, intentó justificarse o rescatarse, pero nadie puede negarle la función de intérprete de toda una época. A través de

su verso el mundo de los vejados, las razas vencidas, los pueblos oprimidos, han encontrado su voz[33].

Sin duda, por el libro que editamos ahora, ampliaría los grupos de los que Bellini dice que Neruda fue intérprete al de los enamorados; aunque la frase pueda parecer innecesaria, también al de los enamorados.

JOSÉ CARLOS ROVIRA

---

[33] Giuseppe Bellini, «Pablo Neruda: intérprete de nuestro siglo», *Revista de Occidente,* 86-87, julio-agosto de 1988, pág. 96.

BIBLIOGRAFÍA SELECTA

En la Introducción se han citado y valorado libros y artículos que informan y analizan los VEINTE POEMAS DE AMOR Y UNA CANCIÓN DESESPERADA. Ratifico su presencia en este apartado, pero quiero incluir algunos más y, sobre todo, insistir en las que considero visiones esenciales de la obra que editamos. (Neruda tiene una bibliografía crítica inmensa, que puede rastrearse en mi libro *Para leer a Neruda,* Madrid, Palas Atenea, 1991).

EDICIONES CRÍTICAS Y COMENTADAS DE *VEINTE POEMAS...*

PABLO NERUDA, *Veinte poemas de amor y una canción deses-perada,* edición de Hugo Montes, Madrid, Castalia, 1980.

La «Introducción biográfica y crítica» demuestra que, a pesar de varios puntos de interés, no se ha realizado un esfuerzo de reactualización bibliográfica, no teniéndose en cuenta, por tanto, varias aproximaciones esenciales. El criterio de anotación no es sistemático ni plantea claramente sus objetivos, aunque es indudable el valor de las múltiples notas de un autor que conoció personalmente a Neruda y aporta, en cualquier caso, su testimonio lúcido.

PABLO NERUDA, *Veinte poemas de amor y una canción de-sesperada,* edición de Gabriele Morelli, Salamanca, Ediciones Colegio de España, 1995.

Sin duda la edición más rigurosa de la obra. Morelli realiza un prólogo en el que define sistemáticamente la visión iniciada en *Strutture e lessico nei «Veinte poemas de amor» di Pablo Neruda* (Milano, Cisal-pino-Goliardica, 1979), y amplía una reflexión demostrativa de los elementos de tradición y modernidad que aporta el poemario nerudiano. A la aportación de primeras versiones y a la anotación rigurosa se une un intento de fijación de variantes a lo largo de las primeras ediciones que, sin embargo, está muy centrado en problemas de puntuación o carencia de tildes en algunas palabras. La ausencia de manuscritos determina este tipo de anotación, que puede ser, a veces, innecesaria. En cualquier caso, el riguroso trabajo, que nos ha sido esencial para la edición actual, resulta un instrumento valioso y un modelo de edición. La actualización bibliográfica es sobresaliente, conteniendo la más completa bibliografía sobre esta obra.

—, *Veinte poemas de amor y una canción desesperada,* edición, introducción, notas y actividades de Matías Barchino, Madrid, Bruño, 1994.

Conmemorativa del setenta aniversario de la primera edición, la determinación escolar de su objetivo crea un útil y riguroso instrumento de trabajo en el que destacan acertadas propuestas de lectura y de actividad. Su introducción, su análisis de los grandes motivos metafóricos, su insistencia en las figuras retóricas son válidas, aunque carece de un aparato interpretativo de los poemas, que habría ayudado, sin duda, al objetivo propuesto.

ESTUDIOS PRINCIPALES SOBRE
LA POÉTICA DE NERUDA

ALONSO, Amado, *Poesía y estilo de Pablo Neruda,* Barcelona, Edhasa, 1979.

La primera edición es la de Buenos Aires en 1940. La actualizó y aumentó en 1951. La aportación esencial de Amado Alonso fue, en primer lugar, la que toda primera lectura global plantea (en el estado de la obra en 1940), a la que el crítico aportó una lectura del ciclo histórico en la segunda edición. Su intuición fundamental fue ver la poética inicial nerudiana como un tránsito de la melancolía a la angustia centrando su tesis en *Veinte poemas...* El rotundo análisis estilístico de Alonso es todavía una lección insuperable, aunque haya sido matizada en algunos aspectos.

LOYOLA, Hernán, *Los modos de autorreferencia en la obra de Pablo Neruda,* Santiago, Ed. Aurora, 1964.

—, *Ser y morir en Pablo Neruda, 1919-1945,* Santiago, Editorial Santiago, 1967.

El desarrollo de la lectura de la obra nerudiana como *modo de autorreferencia* permite identificar un conjunto de autorretratos, autorrepresentaciones del propio autor, a lo largo de su poética. Estos trabajos permitieron que el crítico sistematizase una antología comentada (Pablo Neruda, *Antología poética,* Madrid, Alianza, 1981, 2 vols.), donde organiza la obra a partir de la lectura de las sucesivas imágenes que Neruda fue proponiéndonos.

RODRÍGUEZ MONEGAL, Emir, *Neruda: el viajero inmóvil,* Caracas, Monte Ávila editores, 1977, 2.ª edición ampliada.

A pesar de la broma de Neruda en *Confieso que he vivido* (Barcelona, Seix Barral, 1974, pág. 402), donde dice, comentando el libro: «Se observa a simple vista que no es tonto este doctor. Se dio cuenta en el acto de que me gusta viajar sin moverme de mi casa, sin salir de mi país, sin apartarme de mí mismo», la noción del crítico es efectiva como instrumento de lectura: Neruda es un viajero en su propio interior, a través del que hace dialéctico el viaje exterior. Aporta documentación fundamental.

SICARD, Alain, *El pensamiento poético de Pablo Neruda,* Madrid, Gredos, 1981.

La perspectiva que centraría el período de la obra que editamos, y las obras conexas, sobre todo *Tentativa de hombre infinito,* permite una de las lecturas más brillantes y más actuales: el hombre infinito de Neruda es el que desea apoderarse del tiempo, aprehender el instante y perpetuar esa sensación en la materia. El primer ciclo de la obra sería la génesis de esta tentativa y el desarrollo de su fracaso.

TEITELBOIN, Volodia, *Neruda,* Buenos Aires, Losada, 1985.

Se trata de la mejor biografía del poeta, escrita por un compañero de Neruda que vivió junto a éste una parte importante de los acontecimientos de su vida.

En las notas a los poemas cito, por el año de edición y la página, dos libros fundamentales para cualquier aproximación a esta etapa de Neruda. Son éstos:

(1974), Pablo Neruda, *Confieso que he vivido,* Barcelona, Seix Barral, 1974.

(1975), L. Machado, «Cinco conferencias de Pablo Neruda», *Cuadernos de crítica literaria,* Caracas, Universidad Central de Venezuela, 1975.

Todos los fragmentos de cartas, poemas y referencias a Albertina Rosa Azócar proceden de:

Pablo Neruda, *Cartas y poemas a Albertina Rosa Azócar,* Madrid, Edilán/Banco Exterior de España, 1990.

ESTA EDICIÓN

Se utiliza como texto base la edición de *Obras completas* (Buenos Aires, Losada, 1973, 4.ª ed., pág. 94 y sigs.), por ser la última editada en vida del autor, aunque él no revisó estas pruebas. Sin embargo, esta edición reproduce la segunda de VEINTE POEMAS DE AMOR Y UNA CANCIÓN DESESPERADA (Santiago, Nascimento, 1932), donde el poeta modificó (rehaciendo y cambiando algunos poemas) la primera de Santiago (Nascimento, 1924). En la edición de Santiago, Ercilla, 1938, añadió un dato fundamental en el texto del poema 16, que aparece recogido en la anotación correspondiente. En las notas a los poemas recojo todas las variantes significativas, es decir, aquellas que están en función de demostrar procesos y variaciones de escritura. Omito detalles de puntuación, acentuación, erratas o disposición de espacios versales, por las características de esta colección y porque sólo en el caso de que produjeran cambios de sentido relevantes hubiera considerado necesario dejar constancia de ellos. Se utiliza algún manuscrito, que se anota en su lugar correspondiente, con los mismos criterios enunciados. En el texto de los poemas de Neruda mantengo su omisión habitual de signos iniciales admirativos e interrogativos.

El aparato de notas pretende exclusivamente facilitar la lectura e interpretación de los poemas, señalar la importancia de algunos procesos de escritura para la comprensión de los mismos, y posibilitar perspectivas intertextuales entre ellos y otras partes de la obra del autor, así como relacionarlos con sus propios testimonios autobiográficos. Algunas notas tienen deudas evidentes con varios autores, pero por criterio editorial se omite en ellas cualquier referencia erudita y el lector podrá, mediante la Introducción y los restantes materiales del libro, identificar fácilmente la procedencia. En cualquier caso, quiero dejar constancia de que las deudas principales son con Amado Alonso, Hernán Loyola y Gabriele Morelli.

Los apartados de Documentación complementaria y de Taller de lectura quieren ser propuestas de trabajo sobre la obra, para que un estudiante o cualquier lector asuma una relación activa con la misma. La enseñanza es el objetivo último del texto que presentamos, y un intento de rigor en una edición crítica no tiene por qué verse desmerecido si, a través de un amplio comentario, o de la llamada de atención sobre unos materiales o unas imágenes, o incluso mediante la propuesta de actividades, conseguimos aproximar a un público joven, o a cualquier público, a la interpretación. Para las actividades, por ejemplo, me ha sido fundamental la novela de Antonio Skármeta, *El cartero de Pablo Neruda,* en un tiempo en el que la película homónima de Michael Radford ha podido servir para crear casi una «nerudamanía». Y está bien que en los tiempos de turbación que vivimos sea así: entre las pocas utopías que nos van quedando a algunos, está esa tan pequeñita de que un poeta pueda ser tan importante para el inconsciente colectivo como cualquiera de los ídolos que, desde otras esferas de la actividad social, nos aparecen insistentemente en los medios de difusión.

Una vez concluida esta edición, conozco que el crítico chileno Víctor Farías acaba de publicar en su país en este mismo mes los *Cuadernos de Temuco,* con ciento treinta poemas inéditos de un Neruda más adolescente que el que aquí editamos. Cuando corrijo pruebas, aparece la edición española (Barcelona, Seix Barral, enero de 1997). Una rápida lectura no permite muchas conexiones al ámbito de los VEINTE POEMAS..., a no ser que queramos jugar con imágenes como la del poema

«Sensación de olor», donde escribe «En el cielo de seda la estrella que titila» y conectarla, cogiéndola por los pelos, a los astros que tiritan en el poema 20. La fuerza de la imagen en éste es infinitamente superior. Tampoco la naturaleza de estos *Cuadernos de Temuco* es la del libro que editamos, aunque se escriban en el mismo espacio. Pero sí habrá que tener en cuenta la paciente y rigurosa experimentación métrica modernista del joven Neruda, un recurso que explicará probablemente su dominio versal posterior, hasta llevar el poema al verso libre. Como los poemas tuvieron su escritura entre 1918 y 1920, cuando Neruda contaba entre catorce y dieciséis años, no creo que esta prehistoria poética pueda aportar mucho a nuestra cronología de 1923, pero, en cualquier caso, en un futuro se deberán valorar esos poemas para entroncarlos con el primer imaginario nerudiano que se construye en Temuco, como una parte importante de los VEINTE POEMAS...

Como en otros trabajos recientes, quiero dejar constancia de la ayuda prestada en esta edición por Carmen Alemany, Reme Mataix y Abel Villaverde.

J. C. R.

VEINTE POEMAS DE AMOR
Y
UNA CANCIÓN DESESPERADA

PABLO NERUDA

veinte
poemas
de amor y
una canción
desesperada

EDITORIAL NASCIMENTO
Ahumada 125 — Santiago — Chile — 1924

Portada de la primera edición de la obra

1

Cuerpo de mujer, blancas colinas, muslos blancos,
te pareces al mundo en tu actitud de entrega.
Mi cuerpo de labriego salvaje te socava
y hace saltar el hijo del fondo de la tierra.

5   Fui solo como un túnel. De mí huían los pájaros
y en mí la noche entraba su invasión poderosa.
Para sobrevivirme te forjé como un arma,
como una flecha en mi arco, como una piedra en mi
                                                          [honda.

Pero cae la hora de la venganza, y te amo.
10 Cuerpo de piel, de musgo, de leche ávida y firme.
Ah los vasos del pecho! Ah los ojos de ausencia!
Ah las rosas del pubis! Ah tu voz lenta y triste!

Cuerpo de mujer mía, persistiré en tu gracia.
Mi sed, mi ansia sin límite, mi camino indeciso!
15 Oscuros cauces donde la sed eterna sigue,
y la fatiga sigue, y el dolor infinito.

Líneas de interpretación

1. El poema que abre el libro, de los dedicados a Albertina Rosa Azócar, configura en Neruda el lenguaje del eros, vinculado a la experiencia amorosa, de tan amplia expresión posterior en su obra. El cuerpo de la mujer, descrito como una naturaleza (colinas, tierra) y comparado con el mundo, puede tener el origen en la lectura temprana del *Cantar de los cantares* bíblico («Tu vientre, un cúmulo de trigo, / de lirios rodeado. / Tus dos pechos como dos crías / mellizas de gacela / etc.», 7, 3) y en la reinterpretación erótica, no mística, del *Cántico espiritual* de San Juan de la Cruz: «Gocémonos, Amado, / y vámonos a ver en tu hermosura / al monte y al collado, / do mana el agua pura; / entremos más adentro en la espesura» (estrofa 36). De la lectura temprana de San Juan, de la pasión por el místico español, cuyo diálogo amoroso se recuperará, por ejemplo, en *Fulgor y muerte de Joaquín Murieta,* tenemos el dato de que la primera recopilación poética del joven Neruda, a los dieciséis años, iba a llamarse *Las ínsulas extrañas.*

2. En los versos 7 y 8 hay una reflexión sobre la propia poesía, dirigida a la obra *El hondero entusiasta,* escrita durante el mismo tiempo que los *Veinte poemas...,* y cuyo referente es también Albertina Rosa Azócar. Forjar a la mujer «como una piedra en mi honda» remite ya al primer poema de *El hondero...:* «Hago girar mis brazos como dos aspas locas...», en donde las piedras lanzadas intentaban romper las sombras que rodeaban al poeta, metafóricas sombras provocadas por su angustia de infinito.

3. Las comparaciones abren el poema (vv. 1-2), siendo esta figura retórica la más usada en todo el libro. Nótese también el paralelismo esencial del verso 8 y de los versos 11 y 12. El final del poema, con una gradación ascendente (vv. 15 y 16) nos lleva al *clímax* en la palabra-clave *infinito.*

2

En su llama mortal la luz te envuelve.
Absorta, pálida doliente, así situada
contra las viejas hélices del crepúsculo
que en torno a ti da vueltas.

5   Muda, mi amiga,
sola en lo solitario de esta hora de muertes
y llena de las vidas del fuego,
pura heredera del día destruido.

Del sol cae un racimo en tu vestido oscuro.
10 De la noche las grandes raíces
crecen de súbito desde tu alma,
y a lo exterior regresan las cosas en ti ocultas,
de modo que un pueblo pálido y azul
de ti recién nacido se alimenta.

15 Oh grandiosa y fecunda y magnética esclava
del círculo que en negro y dorado sucede:
erguida, trata y logra una creación tan viva
que sucumben sus flores, y llena es de tristeza.

Líneas de interpretación

1. El comienzo de la noche, con la amada envuelta en el crepúsculo, forma este primer espacio y tiempo mítico en el que la mujer es descrita en su silencio, muda, como fórmula que será reiterada en los siguientes poemas (véase Poema 15), y solitaria, realizando una transmutación de la naturaleza, en la que el tránsito del día a la noche viene enmarcado por una serie de imágenes de la fecundidad. Un tiempo circular, el del día y la noche («círculo que en negro y dorado sucede», v. 16) provoca una continua creación desde la amada, pero esta vez la misma creación es aniquilación, pues «sucumben sus flores», y la mujer «llena es de tristeza». La fecundidad, convertida también aquí en aniquilación, se explica porque el tiempo de escritura de esta versión del poema, que es la que aparece en la segunda edición, está próximo a 1932, es decir, en la época de escritura de *Residencia en la tierra*.

2. La inspiradora del poema es Albertina Rosa Azócar, a la que le envió en 1924 una copia mecanográfica con una composición mucho más breve que es el origen de ésta, y dice así: «La última luz te envuelve / en su llama mortal. // Doliente. Seria. Absorta. // Detrás de ti da vueltas / el carrousel de estrellas. // Doliente, absorta, muda, / estás diciendo una palabra inmensa. // Doliente. Absorta. Pálida. // Un racimo de sol / me dice adiós desde tu vestido oscuro. // Detrás de ti se aleja / la hélice infinita del crepúsculo». Este poema coincide con el que aparecía en la primera edición de *Veinte poemas...*, que en la segunda fue sustituido por el que damos aquí. Las dos composiciones informan del proceso de escritura de Neruda, mediante la ampliación y extensión de los centros poéticos fijados en la primera versión, y también de la transformación del sentido último de los mismos.

3. El juego metafórico sobre la noche es intenso: descriptivamente, la noche es «llama mortal», «hora de muertes» «día destruido», y su anuncio viene dado por las «viejas hélices del crepúsculo». En ese marco, se suceden las imágenes de la fecundidad que provoca la amada: «vidas de fuego», «Del sol cae un racimo», «las grandes raíces crecen», «un pueblo pálido y azul de ti

recién nacido». El tránsito de los días tiene su metáfora: «círculo que en negro y dorado sucede». La aniquilación de la fecundidad, también: «sucumben sus flores». El polisíndeton de la última estrofa da solemnidad al cierre, como si de una plegaria a la amada se tratara.

3

Ah vastedad de pinos, rumor de olas quebrándose,
lento juego de luces, campana solitaria,
crepúsculo cayendo en tus ojos, muñeca,
caracola terrestre, en ti la tierra canta!

5 En ti los ríos cantan y mi alma en ellos huye
como tú lo desees y hacia donde tú quieras.
Márcame mi camino en tu arco de esperanza
y soltaré en delirio mi bandada de flechas.

En torno a mí estoy viendo tu cintura de niebla
10 y tu silencio acosa mis horas perseguidas,
y eres tú con tus brazos de piedra transparente
donde mis besos anclan y mi húmeda ansia anida.

Ah tu voz misteriosa que el amor tiñe y dobla
en el atardecer resonante y muriendo!
15 Así en horas profundas sobre los campos he visto
doblarse las espigas en la boca del viento.

Líneas de interpretación

1. Poema dedicado a la amada-materia, que es naturaleza («vastedad de pinos», «rumor de olas», «juego de luces», «caracola terrestre», «cintura de niebla»...), y también algún objeto esencial del mundo del poeta: «campana solitaria», y silencio, aunque ese mismo silencio se convierta en voz misteriosa que llega al atardecer y provoca la sensación de las espigas doblándose por el viento.

2. Si el espacio de naturaleza nos remite a «Terusa», Teresa Vázquez, la muchacha de Temuco, atribuciones de la correspondencia de Neruda llevarían el poema también a la imaginación dedicada a Albertina: así, desde Puerto Saavedra, el 1 de febrero de 1924, escribe a ésta: «Estoy ya en la costa. Oigo el estrépito del mar [...] Otra vez te daré noticias de mi vida, y te mandaré un caracol amarillo, que cante como el mar. Y que te diga mi nombre con su voz marina». En otra tarjeta postal, el 5 de febrero, desde el mismo lugar: «... ésta es una bella playa. Aquí te traería a ti; he escogido un sitio solitario. Te llamarás *Caracola*...». Por otra parte, si Albertina es la destinataria de *El hondero entusiasta*, recordemos que en un manuscrito que acompaña el poema 4 de esta obra y que le envía a ella, junto a la palabra «poemas» aparece el título *El flechero entusiasta*, lo que estaría en consonancia con la imagen de los versos 7-8: «Márcame mi camino en tu arco de esperanza / y soltaré en delirio mi bandada de flechas».

3. Una amplia atribución de la amada a elementos naturales, que son así personificados, se aúna a metáforas intertextuales como el «arco de esperanza» y la «bandada de flechas». En la última estrofa, la voz se asocia en construcción sinestésica a su coloración («tiñe») y sonido («dobla»), introduciendo además la imagen final de «doblarse las espigas en la boca del viento».

4

Es la mañana llena de tempestad
en el corazón del verano.

Como pañuelos blancos de adiós viajan las nubes,
el viento las sacude con sus viajeras manos.

5   Innumerable corazón del viento
latiendo sobre nuestro silencio enamorado.

Zumbando entre los árboles, orquestal y divino,
como una lengua llena de guerras y de cantos.

Viento que lleva en rápido robo la hojarasca
10   y desvía las flechas latientes de los pájaros.

Viento que la derriba en ola sin espuma
y sustancia sin peso, y fuegos inclinados.

Se rompe y se sumerge su volumen de besos
combatido en la puerta del viento del verano.

Líneas de interpretación

1. El poema tuvo título la primera vez que se publicó, en la revista *Claridad*, en 1923: «La tempestad». Esta tempestad veraniega se convierte en marco de la relación de amor, alternando las imágenes de percepción de los fenómenos naturales (las nubes, el viento, el silbido de éste entre los árboles, la hojarasca que forma) con la descripción del espacio del amor («silencio enamorado», «volumen de besos»). Los enamorados rodeados por la tempestad tienen una larguísima tradición literaria. Recuérdese a Tristán e Isolda en el bosque de Morois, o en otra clave metafórica-simbólica, la *bufera infernale* (tempestad infernal) que envuelve a los enamorados en el canto V del *Infierno* de Dante.

2. Las referencias de naturaleza nos remiten a Teresa Vázquez como destinataria, y al espacio de Temuco. Bastantes años después de escribirlo, Neruda explica con esta sencillez cotidiana el poema: «Lo escribí cuando amenazaba la tempestad en el verano del Sur. Ella y yo estábamos tendidos bajo un gran árbol, de pronto las ráfagas de vendaval nos envuelven... y eso es todo» (Neruda, 75: 20). La primera versión, que es la que apareció en 1923 y la de la edición de 1924, carecía de los dos últimos versos y daba en 11-12 éstos: «Viento que la retiene, ¡tan pequeña y tan dulce! / como una hojita seca caída entre mis brazos», con los que comprobamos la indudable mejoría que realiza el poeta en su versión definitiva.

3. Las imágenes evidencian la calidad descriptiva: la comparación de las nubes con «pañuelos blancos de adiós»; las personificaciones del viento que tiene «viajeras manos» o «innumerable corazón»; o la atribución de una solemnidad que lo hace «orquestal y divino», para ser comparado con una «lengua llena de guerras y de cantos» centran el poema en la sensación de viento, que tiene una serie aliterativa: «viaje... viajeras... viento» y una insistencia reiterativa de la palabra a lo largo de todo el poema. El viento comparado con «guerras y cantos» nos recordará la «Canción desesperada», donde la amada es identificada en el pasado como «En ti se acumularon las guerras y los vuelos, / de ti alzaron las alas los pájaros del canto», identificando guerra a la relación amorosa y canto a la misma poesía.

5

Para que tú me oigas
mis palabras
se adelgazan a veces
como las huellas de las gaviotas en las playas.

5   Collar, cascabel ebrio
para tus manos suaves como las uvas.

Y las miro lejanas mis palabras.
Más que mías son tuyas.
Van trepando en mi viejo dolor como las yedras.

10   Ellas trepan así por las paredes húmedas.
Eres tú la culpable de este juego sangriento.

Ellas están huyendo de mi guarida oscura.
Todo lo llenas tú, todo lo llenas.

Antes que tú poblaron la soledad que ocupas,
15   y están acostumbradas más que tú a mi tristeza.

Ahora quiero que digan lo que quiero decirte
para que tú las oigas como quiero que me oigas.

El viento de la angustia aún las suele arrastrar.
Huracanes de sueños aún a veces las tumban.
20   Escuchas otras voces en mi voz dolorida.
Llanto de viejas bocas, sangre de viejas súplicas.

Ámame, compañera. No me abandones. Sígueme.
Sígueme, compañera, en esa ola de angustia.

Pero se van tiñendo con tu amor mis palabras.
25   Todo lo ocupas tú, todo lo ocupas.

Voy haciendo de todas un collar infinito
para tus blancas manos, suaves como las uvas.

Líneas de interpretación

1. La palabra del poeta, en el diálogo amoroso, es el tema que se aborda aquí y, como veremos, determinará luego otros poemas del libro. La palabra es ahora la del propio poeta hacia la amada, sometiendo a ésta a varias comparaciones entre las que va surgiendo una sensación nueva, que es el comienzo de un tiempo doloroso en la experiencia del amor. La presencia de sentimientos como dolor y tristeza confluye finalmente en la apertura del tiempo de la angustia, en el interior del cual llama a la mujer para que lo ame y lo acompañe. Esta mujer finalmente llena todo el vacío y las palabras son un collar para sus manos.

2. Dedicado a Albertina Rosa Azócar, el poeta se lo envía mecanografiado en un papel con membrete del Ministerio de Instrucción Pública, siendo exactamente igual el texto al que publica en la primera edición de *Veinte poemas...*

3. Dos comparaciones comienzan identificando las palabras del poeta: con las huellas de las gaviotas, con las yedras que trepan las paredes del dolor. Las palabras son afrontadas por el «viento de la angustia», por «huracanes de sueños», mientras el poeta vive en una «ola de angustia», en un sistema metafórico que anuncia el tiempo posterior, sólo contrarrestado aquí por las palabras que se tiñen de amor y por las blancas manos, comparadas a las uvas por su suavidad, en cuanto símbolo reiterado del goce amoroso, que nos lleva al poema 13, en el que rememora «El tiempo de las uvas, el tiempo maduro y frutal». La metáfora de la uva, y de las frutas en general, como deleite del tacto, del gusto y de la vista, comparada con el cuerpo de la amada, se debe probablemente a una influencia del poeta uruguayo Carlos Sabat Ercasty.

6

Te recuerdo como eras en el último otoño.
Eras la boina gris y el corazón en calma.
En tus ojos peleaban las llamas del crepúsculo.
Y las hojas caían en el agua de tu alma.

5   Apegada a mis brazos como una enredadera,
las hojas recogían tu voz lenta y en calma.
Hoguera de estupor en que mi sed ardía.
Dulce jacinto azul torcido sobre mi alma.

Siento viajar tus ojos y es distante el otoño:
10   boina gris, voz de pájaro y corazón de casa
hacia donde emigraban mis profundos anhelos
y caían mis besos alegres como brasas.

Cielo desde un navío. Campo desde los cerros.
Tu recuerdo es de luz, de humo, de estanque en calma!
15   Más allá de tus ojos ardían los crepúsculos.
Hojas secas de otoño giraban en tu alma.

Líneas de interpretación

1. La amada es transfigurada y descrita por la memoria del otoño: las llamas del crepúsculo en sus ojos, las hojas cayendo en su alma, la enredadera de sus brazos, las hojas secas girando en su interior, su recuerdo como estanque en calma, etc., son partes de esa recuperación metafórica de la amada con las sensaciones del otoño. La perspectiva cotidiana es modificada por la amplificación espacial del verso 13: «Cielo desde un navío. Campo desde los cerros», en una gradación en la que la perspectiva se abre de lo pequeño (navío/cerros) a lo grande (cielo/campo) invirtiendo la mirada desde arriba (cerros) o hacia arriba (cielo), desde abajo (navío) o hacia abajo (campo).

2. La identificación de la mujer a la que está dedicado la hace Neruda a través de la «boina gris»: «Marisol es la estudiante de la capital. Boina gris, ojos suavísimos, el constante olor a madreselva del errante amor estudiantil, el sosiego físico de los apasionados encuentros en los escondrijos de la urbe» (Neruda, 1974: 76). Que inequívocamente es Albertina Rosa Azócar está también indicado por el fragmento de carta del 24 de julio de 1924, en el que Neruda ha recibido un retrato de la misma: «Estás bien, pero eres más bonita que el retrato. Yo, alguna vez, te haré alguno; pintaré tu boina del color que es, y tus ojos que son color de té. Te pintaré sentada en la ventana, y todos cuantos vean el cuadro dirán: "¿Y esa niña tan triste?"». En otra carta del 16 de septiembre, desde Temuco: «Yo, tendido en el pasto húmedo, en las tardes, pienso en tu boina gris, en tus ojos que amo, en ti. Salgo, a las cinco, a vagar por las calles solas, por los campos vecinos...».

3. En algunos materiales de retórica y versificación se aconseja al aprendiz que huya de las rimas tópicas y fáciles, y se ejemplifica con «calma-alma». Neruda sostiene casi todo el poema, a excepción de la tercera cuarteta, con la rima tópica que, sin embargo, no destroza una composición estructurada por un conjunto de metáforas de la naturaleza en otoño, que van entrando en la memoria física de la amada. La evocación en pasado interioriza esta relación.

7

Inclinado en las tardes tiro mis tristes redes
a tus ojos oceánicos.

Allí se estira y arde en la más alta hoguera
mi soledad que da vueltas los brazos como un náufrago.

5   Hago rojas señales sobre tus ojos ausentes
que olean como el mar a la orilla de un faro.

Sólo guardas tinieblas, hembra distante y mía,
de tu mirada emerge a veces la costa del espanto.

Inclinado en las tardes echo mis tristes redes
10   a ese mar que sacude tus ojos oceánicos.

Los pájaros nocturnos picotean las primeras estrellas
que centellean como mi alma cuando te amo.

Galopa la noche en su yegua sombría
desparramando espigas azules sobre el campo.

Líneas de interpretación

1. La impronta biográfica del poema, dedicado a «Terusa», Teresa Vázquez, la muchacha de Temuco, se entrelaza a una imaginación metafórica que habría que vincular con las *navegaciones de amor* y los *mares de amor* que desde el Renacimiento recorren la poesía europea. El mar aquí, de todas formas, se ha personificado en los ojos de la amada, centro metafórico del poema, que se convierten también en faro al que se dirige este náufrago en su mar de soledad amorosa.

2. Los elementos de conexión biográfica resultan sobresalientes: junto a la imaginación de naturaleza, que conecta con Teresa Vázquez, el mar, la hoguera, los pájaros, las estrellas, nos remiten a esta narración autobiográfica: «Cerca de mí todo lo que existió y siguió existiendo para siempre en mi poesía: el ruido lejano del mar, el grito de los pájaros salvajes, y el amor ardiendo como una zarza inmortal [...] es el idilio de la provincia encantada con inmensas estrellas nocturnas y ojos oscuros como el cielo mojado de Temuco» (Neruda, 1974: 74-75). La «costa del espanto» nos remite a su vez a esta narración del tiempo infantil, en un viaje por el río Imperial hasta la costa de Temuco: «Cuando estuve por primera vez frente al océano quedé sobrecogido. Allí, entre dos grandes cerros (el Huilque y el Maule) se desarrollaba la furia del gran mar. No sólo eran las inmensas olas nevadas que se levantaban a muchos metros sobre nuestras cabezas, sino un estruendo de corazón colosal, la palpitación del universo» (Neruda, 1974: 27).

3. La imaginación se centra en la autorrepresentación del poeta como pescador que recoge los ojos oceánicos de la amada en sus redes. La personificación final de la noche, galopando (vv. 13-14), cierra el poema con el espacio terrestre desde el que lo escribe este náufrago de amor.

8

Abeja blanca zumbas —ebria de miel— en mi alma
y te tuerces en lentas espirales de humo.

Soy el desesperado, la palabra sin ecos,
el que lo perdió todo, y el que todo lo tuvo.

5   Última amarra, cruje en ti mi ansiedad última.
En mi tierra desierta eres la última rosa.

Ah silenciosa!

Cierra tus ojos profundos. Allí aletea la noche.
Ah desnuda tu cuerpo de estatua temerosa.

10   Tienes ojos profundos donde la noche alea.
Frescos brazos de flor y regazo de rosa.

Se parecen tus senos a los caracoles blancos.
Ha venido a dormirse en tu vientre una mariposa de
[sombra.

Ah silenciosa!

15   He aquí la soledad de donde estás ausente.
Llueve. El viento del mar caza errantes gaviotas.

El agua anda descalza por las calles mojadas.
De aquel árbol se quejan, como enfermos, las hojas.

Abeja blanca, ausente, aún zumbas en mi alma.
20   Revives en el tiempo, delgada y silenciosa.

Ah silenciosa!

Líneas de interpretación

1. La amada es una abeja blanca, símbolo en Neruda de la pasión y el ardor amoroso. En ese contexto se reafirma ahora la inmaterialidad de la mujer, a través del silencio, aunque el recuerdo la construya como última posibilidad. El silencio se erige como antítesis a un zumbido interior, persistente, en el que la amada toma formas inmateriales: «espirales de humo», «mariposa de sombra», junto a una construcción impetuosa del eros que se resuelve en imágenes en las que sus senos son «caracoles blancos», el pubis «mariposa de sombra» y el poeta pide que se desnude la «estatua temerosa». En la situación descrita, el poeta se autorretrata en la imagen del desesperado, por la pérdida de lo que una vez tuvo.

2. Las imágenes de naturaleza identifican como referente a Teresa Vázquez, en medio otra vez de «viento del mar» y de «errantes gaviotas», y sobre todo en atribución última de elementos naturales.

3. La doble referencia a la noche que una vez *aletea* y otra vez *alea* en los ojos de la amada crea, mediante sinónimos («mover las alas»), un uso doble del término para no repetirlo y para mantener el verso alejandrino. Entre las comparaciones e imágenes señaladas es destacable la personificación del verso 17: «el agua anda descalza por las calles mojadas», metaforizando la lluvia y el ámbito desolado que el poeta quiere transmitir. El poema se estructura perfectamente en la reiteración de los versos 7, 14 y 21, entre series iguales de dísticos con rima asonante en los impares.

9

Ebrio de trementina y largos besos,
estival, el velero de las rosas dirijo,
torcido hacia la muerte del delgado día,
cimentado en el sólido frenesí marino.

 5   Pálido y amarrado a mi agua devorante
cruzo en el agrio olor del clima descubierto,
aún vestido de gris y sonidos amargos,
y una cimera triste de abandonada espuma.

Voy, duro de pasiones, montado en mi ola única,
10   lunar, solar, ardiente y frío, repentino,
dormido en la garganta de las afortunadas
islas blancas y dulces como caderas frescas.

Tiembla en la noche húmeda mi vestido de besos
locamente cargado de eléctricas gestiones,
15   de modo heroico dividido en sueños
y embriagadoras rosas practicándose en mí.

Aguas arriba, en medio de las olas externas,
tu paralelo cuerpo se sujeta en mis brazos
como un pez infinitamente pegado a mi alma
20   rápido y lento en la energía subceleste.

Líneas de interpretación

1. El poema aparece en la edición de 1932, sustituyendo a otro. En este de ahora, el lenguaje ya no es el de los *Veinte poemas...*, sino el de *Residencia en la tierra,* lo que marca una diferencia radical por el tono hermético y el arbitrario imaginativo que Neruda construye a partir de su inmersión en el surrealismo. Una navegación en un mar de amor, en el sentido de la tradición tan frecuente desde la Edad Media, se realiza en un clima de impetuosa alegría, en la primera cuarteta, que se ve modificada en seguida por el tono de pesadumbre que continúa a lo largo de todo el poema. El poeta, «ebrio de trementina» (resina del pino) navega en su «velero de las rosas» en un mar en el que algunos sintagmas («agua devorante», «agrio olor del clima», «cimera triste de abandonada espuma», «ola única»...) nos presentan ya el mar destructor de *Residencia en la tierra.* Un mar que impide la relación amorosa que, sin embargo, se desarrolla en la última estrofa en el «paralelo cuerpo» de ella, comparado a un enigmático pez pegado al alma del poeta.

2. En la primera edición, el poema 9 aparecía así: «Fimbria rubia de un sol que no atardece nunca, / que no se va, que aún amarilla el ambiente, / con una humanidad de boca inmensa y pura / que nos madura el alma besándonos la frente. // Luminosa quietud de las cosas presentes. / Silenciosa advertencia de las cosas lejanas: / El dolor que renace junto al dolor que muere: / Sombra y lumbre que llegan por la misma ventana. // Líbrame de tu amor mujer lejana y bella / que por bella y lejana me dueles cada día. / Rompe las claras cuerdas, suelta las blancas velas / del barco que aprisionan tus manos todavía. // Y oh minuto no vuelvas a ser como ahora fuiste. / Mi alma errante y nostálgica a toda sed se enreda. / ¡El mar inmenso y libre para nadie es más triste / que para un barco atado por anclas de oro y seda!». En la recopilación *El río invisible* esta versión lleva el título de «El prisionero», que coincide con la imagen del barco en los versos 11 y 12. Entre las dos versiones, sólo hay en común, aparte de la narración apesadumbrada de la experiencia amorosa, las imágenes del barco del amor, tan distantes, por otra parte, que en su primera configuración están en los versos 11-12 y 13-14.

3. La imagen de «el velero de las rosas» se puede poner en relación con «Le beau navire» («El bello navío») de *Las flores del mal* de Baudelaire o con «Brise marine» («Brisa marina») de Mallarmé. La ebriedad inicial, con la que pilota el velero, reafirma el mismo motivo en «Le bateau ivre» («El barco ebrio») de Rimbaud. La nueva imaginación de esta versión es, por tanto, recuperación de un motivo de la tradición metafórica de los simbolistas que Neruda conoce bien. Las imágenes que anticipan el hermetismo de *Residencia en la tierra* pueden ser interpretadas por el arbitrario y el lenguaje onírico surrealista: así, «la muerte del delgado día», «sólido frenesí marino», «amarrado a mi agua devorante», «una cimera (adorno que se pone sobre la cima del yelmo) triste de abandonada espuma», «montado en mi ola única», etc. Se interpretarán entonces como sentidos globales, como el ya identificado del mar destructor, o como insistencias en la tonalidad pesimista que el poeta quiere imprimir a sus versos.

10

Hemos perdido aun este crepúsculo.
Nadie nos vio esta tarde con las manos unidas
mientras la noche azul caía sobre el mundo.

He visto desde mi ventana
5   la fiesta del poniente en los cerros lejanos.

A veces como una moneda
se encendía un pedazo de sol entre mis manos.

Yo te recordaba con el alma apretada
de esa tristeza que tú me conoces.

10 Entonces, dónde estabas?
Entre qué gentes?
Diciendo qué palabras?
Por qué se me vendrá todo el amor de golpe
cuando me siento triste, y te siento lejana?

15 Cayó el libro que siempre se toma en el crepúsculo,
y como un perro herido rodó a mis pies mi capa.

Siempre, siempre te alejas en las tardes
hacia donde el crepúsculo corre borrando estatuas.

Líneas de interpretación

1. El carácter inmediato y coloquial del poema plantea sus claves directamente: desde la lejanía, desde la misma geografía del pasado en una puesta de sol, Neruda evoca a la amada en su ausencia. La interroga. Cuenta la lectura de un libro en la tarde, que cae en el momento de ensimismamiento, cuando dirige a la mujer las preguntas sobre el lugar donde estaba, la gente que la rodeaba y las palabras que decía.

2. La imaginación crepuscular, y modernista, emerge en el espacio del poema desde el primer verso hasta el último, en recuerdo también de la reciente y primera escritura del poeta que confluye en *Crepusculario*, publicado en 1923. El crepúsculo y las estatuas son típicas de la imagen decadentista, rememorando aquí situaciones ya descritas en el primer libro, como «Mi alma es un carrousel vacío en el crepúsculo», verso y poema que se enlaza a tantas imágenes como: «Aquí estoy con mi pobre cuerpo frente al crepúsculo», o «Sentí la angustia de cargar la nueva / soledad del crepúsculo» de la obra anterior.

3. La metaforización de la puesta de sol es intensa: «fiesta del poniente», «como una moneda / se encendía un pedazo de sol entre mis manos». La laxitud que provoca la evocación amorosa tiene la comparación de la capa que cae a los pies del poeta «como un perro herido». La personificación del crepúsculo en el último verso, que «corre borrando estatuas», es la aniquilación de la imagen primera de los enamorados que han perdido también ese momento.

11

Casi fuera del cielo ancla entre dos montañas
la mitad de la luna.
Girante, errante noche, la cavadora de ojos.
A ver cuántas estrellas trizadas en la charca.

5   Hace una cruz de luto entre mis cejas, huye.
Fragua de metales azules, noches de las calladas luchas,
mi corazón da vueltas como un volante loco.
Niña venida de tan lejos, traída de tan lejos,
a veces fulgurece su mirada debajo del cielo.
10 Quejumbre, tempestad, remolino de furia,
cruza encima de mi corazón, sin detenerte.
Viento de los sepulcros acarrea, destroza, dispersa tu
                                          [raíz soñolienta.
Desarraiga los grandes árboles al otro lado de ella.
Pero tú, clara niña, pregunta de humo, espiga.
15 Era la que iba formando el viento con hojas
                                          [iluminadas.
Detrás de las montañas nocturnas, blanco lirio de
                                          [incendio,
ah nada puedo decir! Era hecha de todas las cosas.

Ansiedad que partiste mi pecho a cuchillazos,
es hora de seguir otro camino, donde ella no sonría.

20 Tempestad que enterró las campanas, turbio revuelo de
[tormentas
para qué tocarla ahora, para qué entristecerla.

Ay seguir el camino que se aleja de todo,
donde no esté atajando la angustia, la muerte, el invierno,
con sus ojos abiertos entre el rocío.

Líneas de interpretación

1. Dos sensaciones construyen el poema mediante dos series semánticas: la que representa una naturaleza agresiva y violenta como identificación de una situación de amor (vv. 3-7, 10-13 y 18-24) y la que, polarizada por la imagen de la amada, construye un espacio de salvación (vv. 8-9 y 14-17). El poeta, en la primera serie, aparece enfebrecido («mi corazón da vueltas como un volante loco»); mientras, en la segunda, la imagen de la amada se construye como tranquilizadora («Niña venida de tan lejos, traída de tan lejos / a veces fulgurece su mirada debajo del cielo»), adquiriendo, además, una representación de inmaterialidad («pregunta de humo»), naturaleza fructífera («espiga», «blanco lirio de incendio»), irrealidad («Era la que iba formando el viento con hojas iluminadas») y totalidad («Era hecha de todas las cosas»). El poeta intenta evitar, en la ruptura («es hora de seguir otro camino, donde ella no sonría») la llegada de la angustia (Ay seguir el camino que se aleja de todo, / donde no esté atajando la angustia, la muerte, el invierno»).

2. En la atribución realizada en las memorias, un recuerdo explícito, que identifica a Teresa Vázquez: «Marisol es el idilio de la provincia encantada, con inmensas estrellas nocturnas y ojos oscuros como el cielo mojado de Temuco. Ella figura con su alegría y su vivaz leyenda en casi todas las páginas rodeada por las aguas del puerto y por la *media luna sobre las montañas*» (Neruda, 1974: 75-76), siendo la imagen referencia directa a la de los dos primeros versos. La amada-espiga procede quizá de Carlos Sabat Ercasty, en «La joven del sol» del libro *Vidas*: «... y la espiga madura cae borracha y deseosa / con su cuerpo de chispas doradas y abrazadas».

3. La metaforización responde a las dos series señaladas antes, con crecimiento expresivo de acumulaciones verbales: «acarrea, destroza, dispersa... desarraiga» que construyen con dureza la imagen de la separación de los enamorados, impelidos por un «viento de los sepulcros» de clara matriz romántica. Destacan personificaciones: «Ansiedad que partiste mi pecho a cuchillazos», «el invierno, / con sus ojos abiertos entre el rocío».

12

Para mi corazón basta tu pecho,
para tu libertad bastan mis alas.
Desde mi boca llegará hasta el cielo
lo que estaba dormido sobre tu alma.

5   Es en ti la ilusión de cada día.
Llegas como el rocío a las corolas.
Socavas el horizonte con tu ausencia.
Eternamente en fuga como la ola.

He dicho que cantabas en el viento
10   como los pinos y como los mástiles.
Como ellos eres alta y taciturna.
Y entristeces de pronto, como un viaje.

Acogedora como un viejo camino.
Te pueblan ecos y voces nostálgicas.
15   Yo desperté y a veces emigran y huyen
pájaros que dormían en tu alma.

Líneas de interpretación

1. Un juego inverso de posesivos plantea la vinculación de los enamorados desde la primera estrofa: mi corazón-tu pecho / tu libertad-mis alas. Ilusión, canto, acogida amorosa nos llevan luego a la sensación de nostalgia y, por último, a los pájaros que emigran desde el alma de la amada. Recordemos que en el poema 1 dice: «De mí huían los pájaros»; en el poema 14: «Pasan huyendo los pájaros» y en «La canción desesperada» repite: «emigran negros pájaros», motivo que se acompasa por tanto a la ruptura de la relación amorosa, como símbolo de un elemento de la naturaleza que se retira y que formó parte de la misma. Inspirado en la geografía que indica a Teresa Vázquez como destinataria.

2. En la revista *Zig-Zag* (núm. 938, 10 de febrero de 1923) aparece una anticipación del poema con el título «Vaso de amor», coincidiendo sólo la primera estrofa con la versión definitiva, siendo las tres siguientes así: «Recibe la ilusión de cada día, / único lirio de mi obscuro huerto. / Cierra los ojos ante su venida / para que la recibas con un beso. // Así me encontrarás sin que me busques, / dentro de ti me encontrarás cantando. / Seré un camino que tu vida cruce. / A donde vayas te estará esperando. // Que estás bordando, Amada, con mis sueños / este sendero en que camina mi alma. / Para mi corazón basta tu pecho / que tocará los astros con mis alas». La versión definitiva, indudablemente de más calidad, nos permite comparar las imágenes que, con otra expresión, aparecen en la primera: a) la ilusión de la segunda estrofa se mantiene, modificando la metáfora natural en la que la amada se transforma de «lirio de mi obscuro huerto» en su llegada «como el rocío a las corolas»; y la imagen sencilla y cotidiana del beso se convierte en una amplificación de naturaleza marítima; b) la imagen del canto está en la versión primera dirigida al propio poeta, mientras en la definitiva se refiere al de la amada, en un contexto marítimo nuevo, abriendo además la imagen del camino y sendero desde el contexto cotidiano a una nueva expresión de la naturaleza. Una intensificación metafórica, sobre todo a través de la naturaleza, transforma una versión en otra.

3. Las imágenes se construyen mediante la comparación de la amada con motivos de la naturaleza y la reiteración seis veces del adverbio «como». La metáfora del alma-nido: los pájaros que dormían en el alma de la amada y ahora se alejan abren una relación ya indicada con el final de la experiencia amorosa.

13

He ido marcando con cruces de fuego
el atlas blanco de tu cuerpo.
Mi boca era una araña que cruzaba escondiéndose.
En ti, detrás de ti, temerosa, sedienta.

5   Historias que contarte a la orilla del crepúsculo,
muñeca triste y dulce, para que no estuvieras triste.
Un cisne, un árbol, algo lejano y alegre.
El tiempo de las uvas, el tiempo maduro y frutal.

Yo que viví en un puerto desde donde te amaba.
10 La soledad cruzada de sueño y de silencio.
Acorralado entre el mar y la tristeza.
Callado, delirante, entre dos gondoleros inmóviles.

Entre los labios y la voz, algo se va muriendo.
Algo con alas de pájaro, algo de angustia y de olvido.
15 Así como las redes no retienen el agua.
Muñeca mía, apenas quedan gotas temblando.
Sin embargo, algo canta entre estas palabras fugaces.
Algo canta, algo sube hasta mi ávida boca.
Oh poder celebrarte con todas las palabras de alegría.
20 Cantar, arder, huir, como un campanario en las manos de
[un loco.
Triste ternura mía, qué te haces de repente?
Cuando he llegado al vértice más atrevido y frío
mi corazón se cierra como una flor nocturna.

Líneas de interpretación

1. Sintetiza este poema momentos de la experiencia amorosa que se convierten en resumen del sentido global de la obra: el amor como realización física
(vv. 1-4); la relación verbal posterior narrada como historias para evitar la tristeza de la amada (vv. 5-8); la soledad del enamorado (vv. 9-12) y, por último,
en la serie más amplia, once versos conclusivos en los que, desde la soledad,
el poeta plantea el paso del tiempo (vv. 15-17) y la posibilidad del canto —la
poesía— (vv. 17-20) como forma de salvarse también de la desolación.

2. El verso 9, «Yo que viví en un puerto desde donde te amaba», remite al espacio de Puerto Saavedra y, por tanto, Albertina Rosa Azócar sería la evocada en la distancia. La rememoración del pasado (vv. 5-12), entre crepúsculos, cisne, sueño y, sorpresivamente, dos gondoleros inmóviles (el mar y la
tristeza) nos permite una referencia a la imaginación modernista inicial de
Neruda, e incluso un recuerdo, mediante varios elementos (sueños, cisnes,
góndolas...) al famoso fragmento de Darío en el poema 1 de *Cantos de vida y
esperanza*: «El dueño fui de mi jardín de *sueño*, / lleno de rosas y de *cisnes*
vagos; / el dueño de las tórtolas, el dueño / de *góndolas* y liras en los lagos».
Las imágenes del tiempo que transcurre, que es obsesión, tienen el siguiente
paralelismo verbal en *Tentativa de hombre infinito*: «ay me sorprendo canto
en la carpa *delirante* / como un equilibrista enamorado o el primer *pescador* /
pobre hombre que aíslas *temblando como una gota* / un cuadrado de tiempo
completamente inmóvil» (vv. 261-264), comparables a «... delirante [...] Así
como las redes [...] quedan gotas temblando...», de los versos 12, 15 y 16 de
este poema.

3. La metáfora del atlas del cuerpo (v. 2) nos remite, también por el color
blanco, al poema 1. La metáfora «el tiempo de las uvas» (v. 8) está comentada en el poema 5, en cuanto imagen del goce sensual. En versos 10-12, soledad y tristeza se personifican en gondoleros inmóviles. El verso 13 es una
forma de metáfora-enigma: entre los labios y la voz, lo que se va muriendo,
respondemos, es el beso. El verso 14 nos remite al motivo continuo de los
pájaros, aquí, seguramente, símbolos del canto. La serie verbal del verso 11
«Cantar, arder, huir», indicadora de la actividad del poeta, nos introduce a

una frase enigmática: «como un campanario en las manos de un loco». No creo que pueda verse en la simbolización amplia del sonido de la campana (lo rotundo, la memoria o la plenitud), sino en una asociación metafórica arbitraria. Los dos versos finales plantean la posibilidad de aislar dos tipos de imágenes de raíz diferente para expresar la sensación del poeta ante la situación amorosa: una vanguardista («Cuando he llegado al vértice más atrevido y frío»), otra modernista («mi corazón se cierra como una flor nocturna»).

14

Juegas todos los días con la luz del universo.
Sutil visitadora, llegas en la flor y en el agua.
Eres más que esta blanca cabecita que aprieto
como un racimo entre mis manos cada día.

5 A nadie te pareces desde que yo te amo.
Déjame tenderte entre guirnaldas amarillas.
Quién escribe tu nombre con letras de humo entre las
                                    [estrellas del sur?
Ah déjame recordarte cómo eras entonces, cuando aún no
                                    [existías.

De pronto el viento aúlla y golpea mi ventana cerrada.
10 El cielo es una red cuajada de peces sombríos.
Aquí vienen a dar todos los vientos, todos.
Se desviste la lluvia.

Pasan huyendo los pájaros.
El viento. El viento.
15 Yo sólo puedo luchar contra la fuerza de los hombres.
El temporal arremolina hojas oscuras
y suelta todas las barcas que anoche amarraron al cielo.

Tú estás aquí. Ah tú no huyes.
Tú me responderás hasta el último grito.
20 Ovíllate a mi lado como si tuvieras miedo.
Sin embargo alguna vez corrió una sombra extraña por
                                    [tus ojos.

Ahora, ahora también, pequeña, me traes madreselvas,
y tienes hasta los senos perfumados.
Mientras el viento triste galopa matando mariposas
25   yo te amo, y mi alegría muerde tu boca de ciruela.

Cuánto te habrá dolido acostumbrarte a mí,
a mi alma sola y salvaje, a mi nombre que todos
                                        [ahuyentan.
Hemos visto arder tantas veces el lucero besándonos los
                                        [ojos
y sobre nuestras cabezas destorcerse los crepúsculos en
                                        [abanicos girantes.
30   Mis palabras llovieron sobre ti acariciándote.
Amé desde hace tiempo tu cuerpo de nácar soleado.
Hasta te creo dueña del universo.
Te traeré de las montañas flores alegres, copihues,
avellanas oscuras, y cestas silvestres de besos.

35   Quiero hacer contigo
lo que la primavera hace con los cerezos.

Líneas de interpretación

1. La amada-materia estaría indicada en los dos primeros versos, para pasar en el verso 7 a la inmaterialidad, en las letras de humo que escriben su nombre entre las estrellas del sur. El viento es a continuación el protagonista reiterado y negativo del poema, intentando destrozar el espacio y el encuentro amoroso, que se reafirma entre secuencias de protección («Ovíllate a mi lado...», vv. 24-25), y promesas de presentes: «Te traeré de las montañas...» (vv. 33-34). La afirmación del amor nos lleva hasta la última secuencia en la que el poeta quiere hacer fructificar a la amada.

2. Hay una copia mecanográfica, con correcciones manuscritas y un dibujo, entre los papeles de Albertina Rosa Azócar, lo que la hace destinataria del poema, al margen del entorno de naturaleza. Entre los frutos que el poeta quiere llevar a la amada, hay una flor tan característica como el copihue (planta arbustiva que produce flores generalmente rojas y a veces blancas) que forma parte de la imaginación infantil del poeta: «En la altura, como gotas arteriales de la selva mágica se cimbran los copihues rojos... El copihue rojo es la flor de la sangre, el copihue blanco es la flor de la nieve...» (Neruda, 1974: 14). La imagen de los pájaros que huyen es reiterativa e indica el final de la experiencia amorosa.

3. Algunas metáforas remiten a imágenes vanguardistas: verso 10: «El cielo es una red cuajada de peces sombríos»; verso 17: «suelta todas las barcas que anoche amarraron al cielo»; verso 24: «el viento triste galopa matando mariposas», manteniendo las tres una arbitraria asociación con un significado concreto y una patente relación con un significado global: el enrarecimiento exterior de la situación amorosa, la amenaza a la misma.

15

Me gustas cuando callas porque estás como ausente,
y me oyes desde lejos, y mi voz no te toca.
Parece que los ojos se te hubieran volado
y parece que un beso te cerrara la boca.

5   Como todas las cosas están llenas de mi alma
emerges de las cosas, llena del alma mía.
Mariposa de sueño, te pareces a mi alma,
y te pareces a la palabra melancolía.

Me gustas cuando callas y estás como distante.
10 Y estás como quejándote, mariposa en arrullo.
Y me oyes desde lejos, y mi voz no te alcanza:
déjame que me calle con el silencio tuyo.

Déjame que te hable también con tu silencio
claro como una lámpara, simple como un anillo.
15 Eres como la noche, callada y constelada.
Tu silencio es de estrella, tan lejano y sencillo.

Me gustas cuando callas porque estás como ausente.
Distante y dolorosa como si hubieras muerto.
Una palabra entonces, una sonrisa bastan.
20 Y estoy alegre, alegre de que no sea cierto.

Líneas de interpretación

1. El poema está dedicado a Albertina Rosa Azócar y el primer manuscrito tiene un título, «Poema de su silencio», escrito en el margen superior derecho, y otro, centrado, «Mariposa en arrullo». La imagen de esta mujer silenciosa es la de la amada inmaterial, que es la «mariposa de sueño» o la «mariposa en arrullo», o la construcción reiterada del silencio presente en este poema, o las formas reiteradas del mismo que aparecen en el poema 2, verso 5: «Muda mi amiga»; en el 8, en el verso repetido a manera de estribillo: «Ah, silenciosa!»; o en 11, verso 14, donde la «clara niña» es «pregunta de humo». La inmaterialidad, el silencio y la sensación de ausencia actúan como otra parte de la imagen bipolar de la mujer que otras veces es, como hemos visto antes, eros y naturaleza.

2. En el manuscrito del poema, desechando los versos, pues están entre paréntesis, hay una referencia directa, en una estrofa poéticamente muy pobre, que está dedicada al ámbito familiar de Albertina. Dice así: «Cómo callabas antes, cuando eras más pequeña? / Así se te quedaban las manos sobre el pecho? / Si tú no me lo dices, tendré que preguntárselo / a tu hermano, el poeta, que se fue para México». Para la fecha de escritura del poema, Neruda alude a la estancia de su hermano, Rubén Azócar, en México, en una carta del 7 de marzo de 1923.

3. Las formas de identificación con lo inmaterial indicadas en la nota 1 tienen un último desarrollo en la comparación establecida en el verso 8, en el que la amada se parece a la palabra melancolía, en una reafirmación también inmaterial de la vaga tristeza que recorre el poemario, identificada aquí en un proceso de nominalización con la misma mujer.

16

Paráfrasis a R. Tagore

En mi cielo al crepúsculo eres como una nube
y tu color y forma son como yo los quiero.
Eres mía, eres mía, mujer de labios dulces,
y viven en tu vida mis infinitos sueños.

5   La lámpara de mi alma te sonrosa los pies,
el agrio vino mío es más dulce en tus labios:
oh segadora de mi canción de atardecer,
cómo te sienten mía mis sueños solitarios!

Eres mía, eres mía, voy gritando en la brisa
10 de la tarde, y el viento arrastra mi voz viuda.
Cazadora del fondo de mis ojos, tu robo
estanca como el agua tu mirada nocturna.

En la red de mi música estás presa, amor mío,
y mis redes de música son anchas como el cielo.
15 Mi alma nace a la orilla de tus ojos de luto.
En tus ojos de luto comienza el país del sueño.

Líneas de interpretación

1. La posesión amorosa se despliega en un uso continuo de la forma pronominal correspondiente, ampliando la propiedad a la naturaleza («mi cielo») al mundo personal («mis sueños», «mi alma», «mi voz», «mis ojos») a la propia poesía («la red de mi música»). En todo ese mundo de referentes, la amada roba el fondo de los ojos del enamorado y ella misma está presa en la canción.

2. En las dos primeras ediciones no estaba indicada la condición de paráfrasis de Tagore, que será aceptada y defendida por Neruda en 1937 para la edición que aparece el año siguiente, tras una polémica, iniciada por Volodia Teitelboin en 1934, quien señaló directamente la fuente en el poema 30 de *El jardinero* de Rabindranath Tagore, basándose en la versión de Zenobia Camprubí publicada en Madrid en 1917, que dice así: «Tú eres la nube crepuscular del cielo de mis fantasías. Tu color y tu forma son los del anhelo de mi amor. Eres mía, eres mía, y vives en mis sueños infinitos. Tienes los pies sonrosados del resplandor ansioso de mi corazón. ¡Segadora de mis cantos vespertinos! Tus labios agridulces saben a vino de dolor. Eres mía, eres mía y vives en mis sueños solitarios. Mi pasión sombría ha obscurecido tus ojos, ¡cazadora del fondo de mi mirada! En la red de mi música te tengo presa, amor mío. Eres mía, eres mía y vives en mis sueños inmortales». No es necesario insistir sobre la condición de paráfrasis, puesto que el material imaginativo se reproduce casi textualmente y con las palabras clave, en el nuevo marco de cuartetas asonantes, y con la coda propia de la cuarta estrofa. La versión de Zenobia Camprubí es, además, la utilizada y no la que han dado otros comentaristas. La polémica, con múltiples intervenciones, será rescatada por los antinerudianos del grupo «Mandrágora», quienes rebautizarán la obra como «Veinte poemas de Tagore y un Sabat Ercasty desesperado». Neruda dio años después una curiosa explicación del asunto: «Cuando en el mes de mayo de 1924 estaban imprimiéndose ya los *Veinte poemas* en la Editorial Nascimento, adonde fueron recomendados por Eduardo Barrios, iba yo una noche con Joaquín Cifuentes Sepúlveda, muy alegres y despreocupados, cuando de pronto recordé que este poema no llevaba una nota explicatoria. Lleno de preocupación, le rogué a Joaquín Cifuentes que me recordara al día

siguiente, para pasar a la imprenta juntos a escribir la nota. Joaquín reaccionó en el acto: "No sea tonto, Pablo. Lo acusarán de plagio en *El Mercurio* y se venderá el libro". Los libros de poesía escasamente llegaban a los escaparates. Se quedaban en las bodegas. Seguí el consejo lleno de grandes dudas, que luego disipamos alegremente. Pasó el tiempo y allí siguió el poema sin advertencia. En Buenos Aires se publicó una nueva edición y allí se puso la explicación en el libro como ha continuado imprimiéndose después. La acusación llegó un poco atrasada varios meses después de salida la edición argentina».

3. La concatenación y reduplicación de imágenes en la última estrofa intensifica el valor de «red de música» y «ojos de luto», así como la ampliación de las dos y su apertura a cielo y país de sueño. La «orilla de tus ojos» reitera la imaginación marítima que vimos que constelaba los ojos de la amada en el poema 7.

17

Pensando, enredando sombras en la profunda soledad.
Tú también estás lejos, ah más lejos que nadie.
Pensando, soltando pájaros, desvaneciendo imágenes,
enterrando lámparas.
5   Campanario de brumas, qué lejos, allá arriba!
Ahogando lamentos, moliendo esperanzas sombrías,
molinero taciturno,
se te viene de bruces la noche, lejos de la ciudad.

Tu presencia es ajena, extraña a mí como una cosa.
10 Pienso, camino largamente, mi vida antes de ti.
Mi vida antes de nadie, mi áspera vida.
El grito frente al mar, entre las piedras,
corriendo libre, loco, en el vaho del mar.
La furia triste, el grito, la soledad del mar.
15 Desbocado, violento, estirado hacia el cielo.

Tú, mujer, qué eras allí, qué raya, qué varilla
de ese abanico inmenso? Estabas lejos como ahora.
Incendio en el bosque! Arde en cruces azules.
Arde, arde, llamea, chispea en árboles de luz.
20 Se derrumba, crepita. Incendio. Incendio.

Y mi alma baila herida de virutas de fuego.
Quién llama? Qué silencio poblado de ecos?
Hora de la nostalgia, hora de la alegría, hora de la
                                                    [soledad,
hora mía entre todas!

25   Bocina en que el viento pasa cantando.
      Tanta pasión de llanto anudada a mi cuerpo.

      Sacudida de todas las raíces,
      asalto de todas las olas!
      Rodaba, alegre, triste, interminable, mi alma.

30   Pensando, enterrando lámparas en la profunda soledad.
      Quién eres tú, quién eres?

Líneas de interpretación

1. La irrealidad es el entorno de este poema («enredando sombras»... «desvaneciendo imágenes») en el que el enamorado aparece en diálogo con la amada lejana, en soledad y en un paisaje de brumas, que va a permitir una meditación sobre el mismo hecho del amor, desde los momentos en los que ella no existía, sentidos como desorientación e incertidumbre, hasta la aparición de un crepúsculo («Incendio en el bosque...») en el que se reafirman las sensaciones contradictorias del amor (alegría / nostalgia-soledad; alegre / triste) en un tiempo presente en el que el poeta puede lanzar su pregunta definitiva: «¿Quién eres tú?», como interrogación a la amada desde la impresión de irrealidad descrita.

2. Una imagen llama poderosamente la atención y adquiere así un curioso protagonismo textual: «enterrando lámparas», reiterada en los versos 4 y 30. En la poesía posterior, en el *Canto general* (1945), la lámpara enterrada será un símbolo cultural en referencia al pasado de América y dará título a la primera sección del libro, «La lámpara en la tierra», y será motivo reiterado de ese pasado en «Alturas de Macchu Picchu». Aquí, sin que exista el símbolo, con el valor global de la desorientación amorosa, el poeta crea la acción.

3. La sucesión de gerundios abriendo y cerrando el poema dota a éste de un espacio de dinamismo que se abre a un campo de metáforas que refuerzan la sensación de actividad irreal, casi compulsiva: «pensando», «enredando sombras», «soltando pájaros», «desvaneciendo imágenes», «enterrando lámparas» «ahogando lamentos», «moliendo esperanzas»..., «corriendo libre» son formas de presentación del sujeto poético en la esfera de actividad. La metáfora del «abanico inmenso» responde a la imagen del crepúsculo según podemos ver en el poema 14, verso 29: «... destorcerse los crepúsculos en abanicos girantes». El tiempo se metaforiza en una bocina por la que pasa el viento en el verso 25.

18

Aquí te amo.
En los oscuros pinos se desenreda el viento.
Fosforece la luna sobre las aguas errantes.
Andan días iguales persiguiéndose.

5   Se desciñe la niebla en danzantes figuras.
Una gaviota de plata se descuelga del ocaso.
A veces una vela. Altas, altas estrellas.

O la cruz negra de un barco.
Solo.
10 A veces amanezco, y hasta mi alma está húmeda.
Suena, resuena el mar lejano.
Éste es un puerto.
Aquí te amo.

Aquí te amo y en vano te oculta el horizonte.
15 Te estoy amando aún entre estas frías cosas.
A veces van mis besos en esos barcos graves,
que corren por el mar hacia donde no llegan.

Ya me veo olvidado como estas viejas anclas.
Son más tristes los muelles cuando atraca la tarde.
20 Se fatiga mi vida inútilmente hambrienta.
Amo lo que no tengo. Estás tú tan distante.
Mi hastío forcejea con los lentos crepúsculos.
Pero la noche llega y comienza a cantarme.

La luna hace girar su rodaje de sueño.
25   Me miran con tus ojos las estrellas más grandes.
Y como yo te amo, los pinos en el viento,
quieren cantar tu nombre con sus hojas de alambre.

Líneas de interpretación

1. La deixis de lugar que abre el poema, teniendo su complemento espacial en el verso 12 («Éste es un puerto») y la reiteración indicadora en el verso siguiente, adquiere su principal valor constructivo en la presentación de un escenario del amor compuesto de pinos, luna, niebla, gaviotas, barcos y mar, y en la inexistencia de cualquier indicación temporal, seguramente porque «andan días iguales persiguiéndose». Fijado el espacio habitual del amor, la ambigüedad del tiempo dota al poema de una serie de imágenes plásticas en desarrollo que, a partir del verso 10, se concretan en la sucesión de un día: «amanezco» (v. 10); «cuando atraca la tarde» (v. 19); «los lentos crepúsculos» (v. 22) y «la noche llega» (v. 23). Pero la sucesión del día no ha fijado ningún señalador concreto del mismo, es decir, estamos ante un espacio concreto sin tiempo preciso, porque la historia que se narra en el poema es ya la de la ausencia de la amada: «Amo lo que no tengo. Estás tú tan distante» (v. 21), aunque las estrellas sean los ojos de la mujer y el viento haga que los pinos canten su nombre.

2. El poeta intenta fijar un espacio mediante deixis, como en *Tentativa de hombre infinito* (vv. 162 y sigs.) : «ésta es mi casa [...] ésta es la alta ventana y ahí quedan las puertas», en un fragmento en el que al fijar el espacio construye el tiempo de la infancia («era cuando la noche bailaba entre sus redes / cuando el niño despertó sollozando»). El espacio del amor se ha construido aquí, sin embargo, sin tiempo concreto. Las imágenes de las anclas y la tristeza de los muelles (vv. 18-19) nos anticipan ya el espacio desolado de la «Canción desesperada». En las dos primeras ediciones en el verso 23 aparecía roda*ja* en vez de roda*je,* y nos parece «su rodaja de sueño» que la luna hace girar, más intenso y bello que «su rodaje» de la versión definitiva.

3. «Solo», en el verso 9, reitera la imagen en el aislamiento gráfico de la palabra. Los versos 16-17 («A veces van mis besos en esos barcos graves, / que corren por el mar hacia donde no llegan»), aparte de la anáfora de -esos, construye metafóricamente otra navegación de amor como la señalada en el poema 7. A partir del verso 23 y hasta el final asistimos a una personificación continua de la noche, la luna, las estrellas y los pinos, que dinamiza la relación del poeta con la naturaleza.

19

Niña morena y ágil, el sol que hace las frutas,
el que cuaja los trigos, el que tuerce las algas,
hizo tu cuerpo alegre, tus luminosos ojos
y tu boca que tiene la sonrisa del agua.

5   Un sol negro y ansioso se te arrolla en las hebras
de la negra melena, cuando estiras los brazos.
Tú juegas con el sol como con un estero
y él te deja en los ojos dos oscuros remansos.

Niña morena y ágil, nada hacia ti me acerca.
10   Todo de ti me aleja, como del mediodía.
Eres la delirante juventud de la abeja,
la embriaguez de la ola, la fuerza de la espiga.

Mi corazón sombrío te busca, sin embargo,
y amo tu cuerpo alegre, tu voz suelta y delgada.
15   Mariposa morena dulce y definitiva,
como el trigal y el sol, la amapola y el agua.

Líneas de interpretación

1. Poema de transición entre la tonalidad levemente pesimista de los anteriores y el poema 20, en el que se materializa la tristeza por la pérdida del amor. Aquí, un tono de celebración y goce de la mujer, se ve contrapuesto a la búsqueda ya infructuosa, desde el corazón sombrío, de la amada que se distancia. La mujer es ahora naturaleza creada por el sol, desde la primera estrofa, en donde la construcción paralelística resalta la relación frutas-cuerpo, trigos-ojos y algas-boca. La mujer domina además la naturaleza, juega con el sol como con un *estero* (en Chile, riachuelo, y no terreno pantanoso como en otras partes de América), aunque la materialidad de la misma va perdiendo consistencia hasta llegar a la forma casi inmaterial de la mariposa.

2. La identificación de la mujer con la abeja está vinculada a la condición de ésta de símbolo de la pasión y el ardor amoroso, como vimos en el poema 8. La amada-espiga es una imagen ya vista en el poema 11 procedente de Sabat Ercasty. La amada-ola coincide con toda la imaginación marítima ya comentada en el poema 7. Sobre la identificación de la abeja se ha recordado un fragmento de la carta de Neruda a Albertina Rosa Azócar: «Ahora te llamaré Abeja, aunque no eres rubia» *(Cartas,* n. 84, pág. 120). A esta misma le dedica el sencillo poema «Águeda Rosa. La familia de las abejas ebrias», que reproducimos en apéndice. Y, sin embargo, según nos dice el propio Neruda, este poema está dedicado a otra mujer: María Parodi, la tercera, por tanto, del poemario (reproduzco la afirmación en la Documentación complementaria, en el epígrafe «Los temas»). Este dato nos debe llevar a no dar demasiada importancia a los textos que ya conocemos que escribió Neruda sobre las mujeres reales de la obra.

3. A la composición paralelística ya señalada, que abre el poema; a la comparación continua mujer-elementos de la naturaleza, únase el oxímoron del verso 5, «sol negro».

20

Puedo escribir los versos más tristes esta noche.

Escribir, por ejemplo: «La noche está estrellada,
y tiritan, azules, los astros, a lo lejos».

El viento de la noche gira en el cielo y canta.

5   Puedo escribir los versos más tristes esta noche.
Yo la quise, y a veces ella también me quiso.

En las noches como ésta la tuve entre mis brazos.
La besé tantas veces bajo el cielo infinito.

Ella me quiso, a veces yo también la quería.
10 Cómo no haber amado sus grandes ojos fijos.

Puedo escribir los versos más tristes esta noche.
Pensar que no la tengo. Sentir que la he perdido.

Oír la noche inmensa, más inmensa sin ella.
Y el verso cae al alma como al pasto el rocío.

15 Qué importa que mi amor no pudiera guardarla.
La noche está estrellada y ella no está conmigo.

Eso es todo. A lo lejos alguien canta. A lo lejos.
Mi alma no se contenta con haberla perdido.

Como para acercarla mi mirada la busca.
20   Mi corazón la busca, y ella no está conmigo.

La misma noche que hace blanquear los mismos árboles.
Nosotros, los de entonces, ya no somos los mismos.

Ya no la quiero, es cierto, pero cuánto la quise.
Mi voz buscaba el viento para tocar su oído.

25   De otro. Será de otro. Como antes de mis besos.
Su voz, su cuerpo claro. Sus ojos infinitos.

Ya no la quiero, es cierto, pero tal vez la quiero.
Es tan corto el amor, y es tan largo el olvido.

Porque en noches como ésta la tuve entre mis brazos,
30   mi alma no se contenta con haberla perdido.

Aunque éste sea el último dolor que ella me causa,
y éstos sean los últimos versos que yo le escribo.

Líneas de interpretación

1. En este famosísimo poema, desde el presente (vv.1-5), se narra el amor como un acontecimiento del pasado (vv. 6-15) en el que se van fundiendo las sensaciones actuales de la noche estrellada, los astros azules y el viento que gira en la misma noche, haciendo persistir el pasado en este presente de soledad que se recupera como estructura verbal principal a partir del verso 16, hasta el final. El poeta, entre sus sensaciones, observa la perdurable naturaleza junto a la transformación de los sujetos del amor («La misma noche que hace blanquear los mismos árboles. / Nosotros, los de entonces, ya no somos los mismos», vv. 21-22). La melancolía nerudiana se evidencia en este testimonio del fracaso del amor, en el que todavía hay un camino hacia la esperanza planteada como recuperación («mi alma no se contenta con haberla perdido», repetido en vv. 18 y 30), y en la insistencia en la búsqueda que todavía realiza su mirada y su corazón.

2. La relación que se establece en todo el poema entre la experiencia amorosa y la escritura, idea que abre y cierra el texto, y se reitera repitiendo el primer verso en 5 y 11, tiene además la bella metaforización del verso 14: «Y el verso cae al alma como al pasto el rocío». La afirmación de la escritura nos anticipa la relación mujer-canto del poema que sigue a éste.

3. Como línea de lectura de las imágenes, se plantea la relación que se establece entre las imágenes de la realidad y la sensación afectiva de las mismas, la conmoción que se provoca en el poeta que da cuenta de sensaciones objetivas (noche, astros, viento...) articuladas como memoria en los propios sentimientos en una relación poética muy eficaz, que a partir de aquí será duradera en la poesía y abrirá el ensimismamiento como dialéctica entre lo real y el mundo interior. En otro sentido, la construcción del texto puede ser valorada como un gran ejemplo de coloquialismo poético.

LA CANCIÓN DESESPERADA

Emerge tu recuerdo de la noche en que estoy.
El río anuda al mar su lamento obstinado.

Abandonado como los muelles en el alba.
Es la hora de partir, oh abandonado!

5 Sobre mi corazón llueven frías corolas.
Oh sentina de escombros, feroz cueva de náufragos!

En ti se acumularon las guerras y los vuelos.
De ti alzaron las alas los pájaros del canto.

Todo te lo tragaste, como la lejanía.
10 Como el mar, como el tiempo. Todo en ti fue naufragio!

Era la alegre hora del asalto y el beso.
La hora del estupor que ardía como un faro.

Ansiedad de piloto, furia de buzo ciego,
turbia embriaguez de amor, todo en ti fue naufragio!

15 En la infancia de niebla mi alma alada y herida.
Descubridor perdido, todo en ti fue naufragio!

Te ceñiste al dolor, te agarraste al deseo.
Te tumbó la tristeza, todo en ti fue naufragio!

Hice retroceder la muralla de sombra,
20   anduve más allá del deseo y del acto.

Oh carne, carne mía, mujer que amé y perdí,
a ti en esta hora húmeda, evoco y hago canto.

Como un vaso albergaste la infinita ternura,
y el infinito olvido te trizó como a un vaso.

25   Era la negra, negra soledad de las islas,
y allí, mujer de amor, me acogieron tus brazos.

Era la sed y el hambre, y tú fuiste la fruta.
Era el duelo y las ruinas, y tú fuiste el milagro.

Ah mujer, no sé cómo pudiste contenerme
30   en la tierra de tu alma, y en la cruz de tus brazos!

Mi deseo de ti fue el más terrible y corto,
el más revuelto y ebrio, el más tirante y ávido.

Cementerio de besos, aún hay fuego en tus tumbas,
aún los racimos arden picoteados de pájaros.

35   Oh la boca mordida, oh los besados miembros,
oh los hambrientos dientes, oh los cuerpos trenzados.

Oh la cópula loca de esperanza y esfuerzo
en que nos anudamos y nos desesperamos.

Y la ternura, leve como el agua y la harina.
40   Y la palabra apenas comenzada en los labios.
Ése fue mi destino y en él viajó mi anhelo,
y en él cayó mi anhelo, todo en ti fue naufragio!

Oh sentina de escombros, en ti todo caía,
qué dolor no exprimiste, qué olas no te ahogaron.

45 De tumbo en tumbo aún llameaste y cantaste
de pie como un marino en la proa de un barco.

Aún floreciste en cantos, aún rompiste en corrientes.
Oh sentina de escombros, pozo abierto y amargo.

Pálido buzo ciego, desventurado hondero,
50 descubridor perdido, todo en ti fue naufragio!

Es la hora de partir, la dura y fría hora
que la noche sujeta a todo horario.

El cinturón ruidoso del mar ciñe la costa.
Surgen frías estrellas, emigran negros pájaros.

55 Abandonado como los muelles en el alba.
Sólo la sombra trémula se retuerce en mis manos.

Ah más allá de todo. Ah más allá de todo.

Es la hora de partir. Oh abandonado!

Líneas de interpretación

1. Desde el presente de desolación (vv. 1-6), el poeta evoca en la parte más extensa del poema (vv. 7-50), situando la estructura verbal en pasado, el tiempo del amor, para abrirse al final de nuevo a un presente (vv. 51-58) en el que las manos retuercen sombras y se atestigua el final de la experiencia amorosa, planteándolo como partida y abandono, en una apertura temporal a un futuro que se presenta ya sólo a partir de la despedida. Si la naturaleza remite a los poemas dedicados a Terusa, la estructura de cierre del poemario y su sentido nos lo sitúa también en relación a Albertina. De la experiencia amorosa y su fracaso queda la posibilidad misma de la poesía: «De ti alzaron las alas los pájaros del canto» (v. 8); «a ti en esta hora húmeda evoco y hago canto» (v. 22); «Aún floreciste en cantos...» (v. 47).

2. Neruda testimonió en sus memorias las circunstancias de escritura y la realidad marítima que construye el entorno del poema: «Los muelles de la "Canción desesperada" son los viejos muelles de Carahue y de Bajo Imperial; los tablones rotos y los muñones golpeados por el ancho río; el aleteo de gaviotas se sentía y sigue sintiéndose en aquella desembocadura. En un esbelto y largo bote abandonado, de no sé qué barco náufrago, leí entero el *Juan Cristóbal* y escribí la "Canción desesperada". Encima de mi cabeza el cielo tenía un azul tan violento como jamás he visto otro. Yo escribía en el bote, escondido en la tierra. Creo que no he vuelto a ser tan alto y tan profundo como en aquellos días. Arriba el cielo azul impenetrable. En mis manos el *Juan Cristóbal* o los versos nacientes de mi poema. Cerca de mí todo lo que existió y siguió existiendo para siempre en mi poesía: el ruido lejano del mar, el grito de los pájaros salvajes, y el amor ardiendo sin consumirse como una zarza inmortal» (Neruda, 1974: 75). La referencia al *Juan Cristóbal* que leía es evidentemente a una traducción del *Jean Christophe*, de Romain Rolland.

3. En consonancia con la referencia autobiográfica anterior, el material metafórico principal lo forman un conjunto de imágenes marítimas desoladas: los muelles son ahora el espacio de la despedida y el abandono, espacio descrito en el interior del símbolo romántico de la noche desde la que dice escribir en el primer verso. La estructura temporal del poema tiende a coincidir con una

estructura espacial en la que el presente se asocia a «lo descendido», como clave del derrumbe de las cosas y del amor que se ha vivido: «sentina de escombros», «feroz cueva de náufragos», «cementerio de besos»; mientras el pasado se articula en una plenitud ascensional: «En ti se acumularon las guerras y los vuelos. / De ti alzaron las alas los pájaros del canto. / [...] Era la alegre hora del asalto y el beso. / La hora del estupor que ardía como un faro» (vv. 7-12), aunque la experiencia amorosa se haya resuelto, asociada a la metáfora marítima, en un reiterado, y descensional, «todo en ti fue naufragio». Como ya vimos en el primer poema, el símbolo del hondero reemerge expresando la dimensión salvífica de la experiencia amorosa: «Hice retroceder la muralla de sombra» (v. 19) (recordemos en *El hondero entusiasta*: poema I, v. 68: «El hondero que trice la frente de la sombra»), aunque finalmente el fracaso lo atestigüe como» «... desventurado hondero» (v. 49).

GUÍA DE LECTURA

por José Carlos Rovira

VEINTE
POEMAS

de amor y
una canción
desesperada

por

PABLO NERUDA

NASCIMENTO
MCMXXXII

Portada de la segunda edición de la obra

DOCUMENTACIÓN COMPLEMENTARIA

Hemos seleccionado una serie de textos que, en diferentes épocas, dan cuenta del universo poético de los *Veinte poemas de amor y una canción desesperada*. Son todos del propio Neruda. El primer grupo responde a reflexiones del autor (textos 1-2-3-4-5); el segundo, a poemas escritos coetáneamente a la obra y dedicados a Albertina Rosa Azócar (textos 6-7-8); y el tercero y más amplio, a evocaciones poéticas posteriores de la escritura, las personas, las situaciones, la naturaleza, los paisajes, etc., que constituyen el entramado de los *Veinte poemas...*, procedentes sobre todo del ejercicio de memoria poética que Neruda realiza en 1964, es decir, cuarenta años después de la publicación de esta obra, en *Memorial de Isla Negra* (textos 9 al 16). Siete imágenes correspondientes a los motivos y espacios reales que conforman el imaginario de Neruda completan el material de documentación.

1. EXÉGESIS Y SOLEDAD

En 1924, el año de la publicación de los *Veinte poemas...*, publica Neruda su «Exégesis y soledad» de los mismos. El texto contiene algunas ideas básicas en la poética de Neruda, que el lector podrá identificar con facilidad, como los siguientes que proponemos: la creación como salida de sí mismo y como un tiempo de escritura de diez años en los que experimentó en lo diverso y contrario; una primera definición de los poemas y sus objetos de canto; la originalidad y la idea de espontaneidad última.

Emprendí la más grande salida de mí mismo: la creación, queriendo iluminar las palabras. Diez años de tarea solitaria, que hacen con exactitud la mitad de mi vida, han hecho sucederse en mi expresión ritmos diversos, corrientes contrarias. Amarrándolos, trenzándolos sin hallar lo perdurable, porque no existe, ahí están *Veinte poemas de amor y una canción desesperada.* Dispersos como el pensamiento en su inasible variación, alegres y amargos, yo los he hecho y algo he sufrido haciéndolos. Sólo he cantado mi vida y el amor de algunas mujeres queridas, como quien comienza por saludar a gritos grandes la parte más cercana del mundo. Traté de agregar cada vez más la expresión a mi pensamiento y alguna victoria logré: me puse en cada cosa que salió de mí, con sinceridad y voluntad. Sin vacilar, gente honrada y desconocida —no empleados y pedagogos que me detestan personalmente— me han mostrado sus gestos cordiales, desde lejos. Sin darles importancia, concentrando mi fuerza para atajar la marea, no hice otra cosa que dar intensidad a mi trabajo. No me cansé de ninguna disciplina porque nunca la tuve: la ropa usada que conforma a los demás, me quedó chica o grande, y la reconocí sin mirarla. Buen meditador, mientras he vivido he dado alojamiento a demasiadas inquietudes para que éstas pasaran de golpe por lo que escribo. Sin mirar hacia ninguna dirección, libremente, inconteniblemente, se me soltaron mis poemas.

(Pablo Neruda, *Para nacer he nacido,* Bruguera, Barcelona, 1980).

2. CONFIESO QUE HE VIVIDO

En sus memorias *(Confieso que he vivido),* publica Neruda este recuerdo fundamental de la obra. En él destacan con claridad determinados párrafos en los que se evidencia la existencia en la obra de dos componentes esenciales y diversos que, aunque «mezclados», pueden señalarse claramente; hay, además, dos escenarios perfectamente identificables, aunque prevalezca uno; y se pueden aislar y enumerar los elementos de paisaje y naturaleza que enmarcan las circunstancias de creación; lo mismo ocurre con las personas a las que está dedicada la obra que se pueden identificar, e incluso catalogar las imágenes que las describen.

Los *Veinte poemas de amor y una canción desesperada* son un libro doloroso y pastoril que contiene mis más atormentadas pasiones adolescentes, mezcladas con la naturaleza arrolladora del sur de mi patria. Es un libro que amo porque a pesar de su aguda melancolía está presente en él el goce de la existencia. Me ayudaron a escribirlo un río y su desembocadura: el río Imperial. Los *Veinte poemas* son el romance de Santiago, con las calles estudiantiles, la universidad y el olor a madreselva del amor compartido.

Los trozos de Santiago fueron escritos entre la calle Echaurren y la avenida España y en el interior del antiguo edificio del Instituto Pedagógico, pero el panorama son siempre las aguas y los árboles del sur. Los muelles de la «Canción desesperada» son los viejos muelles de Carahue y de Bajo Imperial; los tablones rotos y los maderos como muñones golpeados por el ancho río; el aleteo de gaviotas se sentía y sigue sintiéndose en aquella desembocadura.

En un esbelto y largo bote abandonado, de no sé qué barco náufrago, leí entero el *Juan Cristóbal* y escribí la «Canción desesperada». Encima de mi cabeza el cielo tenía un azul tan violento como jamás he visto otro. Yo escribía en el bote, escondido en la tierra. Creo que no he vuelto a ser tan alto y tan profundo como en aquellos días. Arriba el cielo azul impenetrable. En mis manos el *Juan Cristóbal* o los versos nacientes de mi poema. Cerca de mí todo lo que existió y siguió existiendo para siempre en mi poesía: el ruido lejano del mar, el grito de los pájaros salvajes, y el amor ardiendo sin consumirse como una zarza inmortal.

Siempre me han preguntado cuál es la mujer de los *Veinte poemas*, pregunta difícil de contestar. Las dos o tres que se entrelazan en esta melancólica y ardiente poesía corresponden, digamos, a Marisol y a Marisombra. Marisol es el idilio de la provincia encantada con inmensas estrellas nocturnas y ojos oscuros como el cielo mojado de Temuco. Ella figura con su alegría y su vivaz belleza en casi todas las páginas, rodeada por las aguas del puerto y por la media luna sobre las montañas. Marisombra es la estudiante de la capital. Boina gris, ojos suavísimos, el constante olor a madreselva del errante amor estudiantil, el sosiego físico de los apasionados encuentros en los escondrijos de la urbe.

(Pablo Neruda, *Confieso que he vivido,* Barcelona, Seix Barral, 1974).

3. ESTE LIBRO ADOLESCENTE

«Este libro adolescente» es una evocación que permite establecer una idea central: de los dos componentes principales ya descritos en los otros textos, uno ha desaparecido y el otro permanece. Un conjunto de imágenes da cuenta de la naturaleza en la obra, y sería interesante confrontarlas con imágenes del texto de los *Veinte poemas...* Por ejemplo, en el párrafo segundo pueden aislarse elementos como: niebla, costa, tumultuoso mar del sur, espuma, geografía amenazante..., que coinciden con el poema 7, versos 7-8: «Sólo guardas tinieblas, hembra distante y mía / de tu mirada emerge a veces la costa del espanto». Son numerosas las conexiones similares que existen entre este texto y los *Veinte poemas...,* dándose resonancias para algunas particularmente intensas, como «amapolas», «espigas», etc.

Este libro fue escrito hace treinta y seis años (me parece) y aunque separado de él por tantas distancias, he seguido envuelto por aquella primavera marina que lo produjo, por la atmósfera y las estrellas de aquellos días y noches. Los ojos de mujer que en este libro se abren fueron cerrados por el tiempo; las manos que en este libro arden, los labios interrumpidos por el fuego, los cuerpos de trigo que se extendieron en estas páginas, toda esa vida, esa verdad, esas aguas, entraron en el gran río de la vida, palpitante, subterráneo, hecho de otras y de todas las vidas.

Pero la niebla, la costa, el tumultuoso mar del sur de Chile, que aquí en este libro adolescente encontró su camino hacia la intimidad de mi poesía, siguen taladrando mi memoria, azotándola con su jerárquica espuma, con su geografía amenazante.

Yo crecí y amé en esos paisajes fluviales y oceánicos, en la más abandonada juventud.

Sin embargo, en el litoral frío de los mares australes, allí en Puerto Saavedra o Bajo Imperial, algo me esperaba.

Niño aún, vestido de negro, desemboqué en pleno verano en un patio en el que todas las amapolas del mundo crecían de manera salvaje. Antes, apenas había visto alguna de ellas, sangre o rubí entre los cereales. Aquí, por millares balanceaban sus largos tallos como delgadas serpientes verticales. Las había blancas, nupciales y marinas, como anémonas del mar que las reclamaba con voz de toro negro, algunas a su corola agregaban un borde purpúreo como orilla de herida, otras eran violáceas o violetas, amarillas, coralinas, cobrizas, y hasta las que nunca vi antes, las amapolas negras, supersticiosas como apariciones de aquel patio solitario, en los comienzos de la Antártica, que también reservaba en su dominio final, la última amapola helada: el Polo Sur.

Y todo el puerto con la fragancia lechosa y venenosa de un millón de amapolas que me esperaban en el jardín secreto.

El jardín de los Pacheco. Los pescadores Pacheco, el bote abandonado...

Porque allí se descargaban las grandes tempestades del Pacífico Sur. La población, hace años, vivió de los naufragios, y en el fondo del huerto, entre la inmensidad de las amapolas, una canoa de salvataje de un barco muerto. Allí, mirando hacia arriba el cielo de azul endurecido por el viento frío, perdí muchas veces conciencia de mí mismo: fijo, en el centro de una espiral azul, bajo todo el peso de la verdad desnuda del cielo, mi razón se debatía y se movían alrededor mío las olas del mar.

Fueron escritos estos poemas con aire, mar, espigas, estrellas y amor, amor... Desde entonces andan rondando y cantando... El tiempo les despojó su primera vestidura, el cataclismo de Chile, suspendido siempre como una espada de fuego, cayó sobre Puerto Saavedra y aniquiló mis recuerdos. Entró el mar que resuena en este libro y la marejada arrolló las casas y los pinos. Los muelles quedaron retorcidos y rotos. Una ola gigante azotó las amapolas. Todo fue destruido en este año de 1960.

Todo... Que mi poesía guarde en su copa la antigua primavera asesinada.

París, noviembre de 1960.

(Pablo Neruda, *Para nacer he nacido,* Bruguera, Barcelona, 1980).

4. LOS TEMAS

«Los temas» es una reflexión no directamente conectada por el autor con los *Veinte poemas*... Pero, sin embargo, hay en este breve texto una serie de motivos fácilmente identificables que aportan claves de la escritura neorromántica en la que podemos situar una de las perspectivas de la obra. El lector podrá identificar en el texto, y posteriormente en los poemas, estas claves. Así, la noche; las imágenes cósmicas (estrellas, etc.); el poeta, marginado de las profesiones cotidianas, como un ser solitario y con una disposición especial para captar sentidos; la poesía como cosa del corazón; la naturaleza intimizada como «gran decoración», etc.

Hacia el camino del nocturno extiende los dedos la grave estatua férrea de estatura implacable. Los cantos sin consulta, las manifestaciones del corazón corren con ansiedad a su dominio: la poderosa estrella polar, el alhelí planetario, las grandes sombras invaden el azul. El espacio, la magnitud herida se avecinan. No los frecuentan los miserables hijos de las capacidades y del tiempo a tiempo. Mientras la infinita luciérnaga deshace en polvo ardiendo su cola fosfórea, los estudiantes de la tierra, los seguros geógrafos, los empresarios se deciden a dormir. Los abogados, los destinatarios.

Sólo solamente algún cazador aprisionado en medio de los bosques, agobiado de aluminio celestial, estrellado por furiosas estrellas, solemnemente levanta la mano enguantada y se golpea el sitio del corazón.

El sitio del corazón nos pertenece. Sólo solamente desde allí, con auxilio de la negra noche, del otoño, desierto, salen, al golpe de la mano, los cantos del corazón.

Como lava o tinieblas, como temblor bestial, como campanadas sin rumbo, la poesía mete las manos en el miedo, en las angustias, en las enfermedades del corazón. Siempre existen afuera las grandes decoraciones que imponen la soledad y el olvido: árboles, estrellas. El poeta vestido de luto escribe temblorosamente muy solitario.

(Pablo Neruda, *Para nacer he nacido,* Bruguera, Barcelona, 1980).

5. ESCENARIOS

De nuevo otro texto —fragmentos del mismo— sobre uno de los escenarios principales de la obra. Al aislar las imágenes, éstas nos remitirán, sin duda, a motivos de los poemas. Se amplían así las imágenes vistas a, por ejemplo, los pinos que señala en el último párrafo y que conectan con otro poema. El texto, además, aporta un dato: que el poema 19 está dedicado a otra mujer, María Parodi, en la que se polarizan imágenes habituales de las otras dos.

Mis principales recuerdos son de Temuco al sur. De ese paisaje quedó impregnada mi poesía. El mar, las montañas y los ríos de aquella región se me quedaron enmarañados en el alma. Sigue lloviendo dentro de mí como hace sesenta años en Temuco.
[...]
Pero el sitio de los sueños era para mí Puerto Saavedra, con la inmensa desembocadura del río Cautín, el océano terrorista de olas como montañas, las docas enarenadas que yo no conocía y que comíamos con entusiasmo. Allí tuve en mis ojos los primeros pingüinos y los primeros cisnes salvajes del bello lago Budi. En las orillas del lago pescaban o cazaban lisas con arpones o tridentes. Era obsesivo mirar aquellos acechantes inmóviles con las lanzas en alto y ver cómo las dejaban caer levantando luego un pescado palpitante. También allí mismo vi muchas veces el rosado vuelo de bandadas de flamencos que iban y venían por el territorio virginal.
[...]
Puerto Saavedra tenía olor a ola marina y a madreselva. Detrás de cada casa había jardines con glorietas y las enredaderas perfumaban la soledad de aquellos días transparentes.
Allí también me sorprendieron los ojos negros y repentinos de María Parodi. Cambiábamos papelitos muy doblados para que desaparecieran en la mano. Más tarde escribí para ella el número diecinueve de mis *Veinte poemas.* Puerto Saavedra está también en todo el resto de ese libro, con sus muelles, sus pinos y su inagotable aleteo de gaviotas.

(Pablo Neruda, *Para nacer he nacido,* Bruguera, Barcelona, 1980).

6. POEMAS DEDICADOS A ALBERTINA ROSA

Ofrecemos a continuación tres poemas dedicados a Albertina Rosa Azócar en el tiempo de escritura de los *Veinte poemas*... El más importante es el «Poema de la ausente», publicado en 1923 (en el diario *La mañana,* de Temuco, el 10 de septiembre, y en la revista *Claridad,* de Santiago, el 22 de septiembre). Esta prosa poética conecta sin duda con momentos de la obra a través de algunos de los motivos principales que la construyen. Así, el último párrafo: «La noche. Es la noche. Emerges floreada de luces azules, y eres el astro que ama mi deseo», nos permitiría leer el comienzo del famoso poema 20: «Puedo escribir los versos más tristes esta noche. / Escribir, por ejemplo: «La noche está estrellada, / y tiritan azules los astros a lo lejos.» Se podrían intentar conectar otros motivos como: mi voz/tu voz; la amada como hueco entre sus brazos; la amada como «flor de mi corazón»; la idea de supervivencia a través de la mujer; las atribuciones a la mujer: árbol, piedra; la amada constelada de estrellas; el vuelo del pájaro errante; el ruido del río distante; el espacio de la noche, etc.

POEMA DE LA AUSENTE

A ti este arrullo, Pequeña, donde estás, donde vayas.
Caliente río trémulo, la ternura moja mi voz, mi voz que te nombra.
Por ti, más lejos que los arreboles lejanos, y las montañas lejanas, y las estrellas lejanas, por ti más lejos miro, más lejos.
Un hueco aquí entre mis dos brazos, un sonido tembloroso que falta en mi voz, la mancha de tu cuerpo ausente del paisaje, eso eres, Pequeña, y sin embargo eres más.
Flor de mi corazón, alma de agua que tiembla en mi tierra, flor mía.
Llena de mis dolores y de mis silencios, niña de ojos absortos como toda mi infancia, quiero que te crucifiques en mis sueños, y me sobrevivas en todas las cosas de la tierra.

A media noche brotas hecha árbol de mi pecho, como de una piedra partida, como un árbol te elevas en el cielo profundo y te constelan las estrellas altísimas.

Me ocupas como el aire ocupa las salas vacías, como la presencia de la sombra ocupa las salas cerradas, como el perfume satura las corolas de estío.

Acaso me aleje de ti; no te entristezca. Pasa, recién, frente a la ventana el vuelo de un pájaro errante y silencioso.

La ausente, eres la ausente. Te llamo y mi voz cae y se arrastra, pero la oyes.

La oyes, Pequeña, al dormirte, como el ruido de un río distante.

La noche, es la noche. Emerges floreada de luces azules, y eres el astro que ama mi deseo. No estás. La ausente, la que cierra los párpados, al otro lado de la sombra. Te hablo, y mi voz te llama, Pequeña. No te vayas, no te vayas nunca.

> (Pablo Neruda, *Cartas y poemas,* Madrid, Banco Exterior de España, 1990).

El breve poema «Gota de canto» ofrece la misma conexión a través de la identificación de la mujer con canto, abeja, silencio, espiga, rosa, palomar, estero, campana, aroma, golondrina.

GOTA DE CANTO

Gota de canto, abeja de silencio,
vaso de verso, corazón de espiga,
echo en tus brazos todo lo que tengo,
rosa de pana, gotera de alegría.

Vaho de huerta, palomar de sueños,
pausa de estero, campana batida,
me has entregado todo lo que tienes,
greda de aroma, ala de golondrina.

> (Pablo Neruda, *Cartas y poemas,* Madrid, Banco Exterior de España, 1990).

En «Águeda Rosa. La familia de las abejas ebrias», la conexión se establece en las situaciones (aparte de la insistencia ya señalada del motivo de la «abeja»). En esas situaciones hay momentos que también aparecen en los poemas del libro: verano silencioso, vuelo de pájaros, atardecer bochornoso...

ÁGUEDA ROSA
La familia de las abejas ebrias

Entre los vahos de la tierra
gira el verano silencioso.

Sol de la tarde, fruta ajada.
Vuelo de pájaros ociosos.

Estoy a la orilla del agua
caída como un lirio roto.

Avidez de mi cuerpo lleno
de inquietudes y de retoños.

Necesito un cuerpo desnudo
sobre mi cuerpo caluroso,

estriado de venas azules
y de deseos poderosos,
que balancee sus ojos pálidos
sobre mis ojos,

como una mirada de niño
sobre la mirada de un pozo.
Estiro mis piernas delgadas
en el atardecer bochornoso.

Y, al sol, mi vientre se enciende como
una inmensa alba en reposo.

(Pablo Neruda, *Cartas y poemas,* Madrid, Banco Exterior de España, 1990).

7. LA ESTUDIANTE

«La estudiante (1923)», del *Canto general,* es la primera evocación poética de una de las figuras de los *Veinte poemas...,* identificado esto por el año que acompaña al título del poema y porque forma parte de la serie «Yo soy» de esta obra, en la que Neruda hace un primer ejercicio de memoria poética sobre sí mismo y su universo literario. La estudiante es Albertina Rosa Azócar. Los sentidos principales del poema pueden identificarse en el recuerdo de un tiempo pasado (aproximadamente diez años) y aisladamente en algunas palabras-clave del mismo: dulzura, carnal, sombras, noche, sábanas, espigas, racimos, etc., que, sin embargo, aparecen con una tonalidad de lenguaje diferente. La hermetización del lenguaje, las abstracciones del mismo, forman parte de otro nivel de escritura que el poeta inaugura en *Residencia en la tierra.* Este texto nos permite reflexionar sobre un tipo de escritura diferente para dar cuenta de la misma situación desde el pasado. Sería interesante comparar el contenido metafórico de ahora con el que nutrió la escritura de los *Veinte poemas...,* haciendo hincapié en la nueva hermetización metafórica con la que aborda la misma experiencia.

LA ESTUDIANTE (1923)

Oh, tú, más dulce, más interminable
que la dulzura, carnal enamorada
entre las sombras: de otros días
surges llenando de pesado polen
tu copa, en la delicia.

                Desde la noche llena
de ultrajes, noche como el vino
desbocado, noche de oxidada púrpura,
a ti caí como una torre herida,
y entre las pobres sábanas tu estrella
palpitó contra mí quemando el cielo.

Oh redes del jazmín, oh fuego físico
alimentado en esta nueva sombra,
tinieblas que tocamos apretando
la cintura central, golpeando el tiempo
con sanguinarias ráfagas de espigas.

Amor sin nada más, en el vacío
de una burbuja, amor con calles muertas,
amor, cuando murió toda la vida
y nos dejó encendiendo los rincones.

Mordí mujer, me hundí desvaneciéndome
desde mi fuerza, atesoré racimos,
y salí a caminar de beso en beso,
atado a las caricias, amarrado
a esta gruta de fría cabellera,
a estas piernas por labios recorridas:
hambriento entre los labios de la tierra,
devorando con labios devorados.

(Canto general).

8. MEMORIAL DE ISLA NEGRA

«El primer mar» abre un grupo de poemas de *Memorial de Isla Negra*, obra con la que, en 1964, Neruda plantea un ejercicio de recuerdo intertextual sobre su producción anterior, que aparece así integrada y reinterpretada.

El primer poema que recogemos forma parte de los espacios reales de los *Veinte poemas*... y no es difícil identificarlos, e incluso agrupar la serie de versos y párrafos que los describen, junto a los lugares, motivos de la naturaleza, etc., que hemos visto hasta ahora. Si se anotan conjuntamente, se intensificará la perspectiva de escenario que «El primer mar» tiene. También destaca aquí la imagen que el poeta presenta de sí mismo y el tono optimista y esperanzador de los versos finales, en donde el poeta nos plantea que, de los derrumbes de

aquel primer mar, surgió otra vida, otro mar, para sí mismo y
su poesía.

EL PRIMER MAR

Descubrí el mar. Salía de Carahue
el Cautín a su desembocadura
y en los barcos de rueda comenzaron
los sueños y la vida a detenerme,
a dejar su pregunta en mis pestañas.
Delgado niño o pájaro,
solitario escolar o pez sombrío,
iba solo en la proa,
desligado
de la felicidad, mientras
el mundo
de la pequeña nave
me ignoraba
y desataba el hilo
de los acordeones,
comían y cantaban
transeúntes
del agua y del verano,
yo, en la proa, pequeño
inhumano,
perdido,
aún sin razón ni canto,
ni alegría,
atado al movimiento de las aguas
que iban entre los montes apartando
para mí solo aquellas soledades
para mí solo aquel camino puro,
para mí solo el universo.

Embriaguez de los ríos,
márgenes de espesuras y fragancias,
súbitas piedras, árboles quemados,
y tierra plena y sola.

Hijo de aquellos ríos
me mantuve
corriendo por la tierra,
por las mismas orillas
hacia la misma espuma
y cuando el mar de entonces
se desplomó como una torre herida,
se incorporó encrespado de su furia,
salí de las raíces,
se me agrandó la patria,
se rompió la unidad de la madera:
la cárcel de los bosques
abrió una puerta verde
por donde entró la ola con su trueno
y se extendió mi vida
con un golpe de mar, en el espacio.

(Memorial de Isla Negra).

«Amores: Terusa (I)» es la primera evocación de Teresa Vázquez, la muchacha de Temuco. Destaca aquí el conjunto de elementos de la naturaleza que describen, en el tiempo, a la mujer, de los que se podría hacer un catálogo. El lector comprobará que se trata de un ámbito natural muy posterior, y más complejo y amplio que el de los *Veinte poemas...*, aunque algunos elementos persistan. Es importante finalmente la idea del tiempo como manera de preguntar y rememorar a uno de los sujetos poéticos de la obra.

AMORES: TERUSA (I)

Y cómo, en dónde yace
aquel
antiguo amor?
Es ahora
una tumba de pájaro, una gota

de cuarzo negro,
un trozo
de madera roída por la lluvia?

Y de aquel cuerpo que como la luna
relucía en la oscura primavera
del Sur,
qué quedará?
La mano
que sostuvo
toda la transparencia y el rumor
del río sosegado,
los ojos en el bosque,
anchos, petrificados
como los minerales de la noche,
los pies
de la muchacha de mis sueños,
pies de espiga, de trigo, de cereza,
adelantados, ágiles, volantes,
entre mi infancia pálida y el mundo?
Dónde está el amor muerto?

El amor, el amor,
dónde se va a morir?
A los graneros
remotos,
al pie de los rosales que murieron
bajo los siete pies de la ceniza
de aquellas casas pobres
que se llevó un incendio de la aldea?

Oh amor
de la primera luz del alba,
del mediodía acérrimo
y sus lanzas,
amor con todo el cielo
gota a gota
cuando la noche cruza
por el mundo

en su total navío,
oh amor
de soledad
adolescente,
oh gran violeta
derramada
con aroma y rocío
y estrellada frescura
sobre el rostro:
aquellos besos
que
trepaban
por la piel, enramándose y mordiendo,
desde los puros cuerpos extendidos
hasta la piedra azul de la nave nocturna.

Terusa de ojos anchos,
a la luna
o al sol de invierno, cuando
las provincias
reciben el dolor, la alevosía
del olvido inmenso
y tú brillas, Terusa,
como el cristal quemado
del topacio,
como la quemadura
del clavel,
como el metal que estalla en el relámpago
y transmigra a los labios de la noche.

Terusa
abierta entre las amapolas,
centella
negra
del primer dolor,
estrella entre los peces,
a la luz
de la pura corriente genital,
ave morada del primer abismo,
sin alcoba, en el reino

del corazón visible
cuya miel inauguran los almendros,
el polen incendiario
de la retama agreste,
el toronjil de tentativas verdes,
la patria de los misteriosos musgos.

Sonaban las campanas de Cautín,
todos los pétalos pedían algo,
no renunciaba a nada la tierra,
el agua parpadeaba
sin cesar:
quería abrir el verano,
darle al fin una herida,
se despeñaba en furia
el río que venía de los Andes,
se convertía en una estrella dura
que clavaba la selva,
la orilla,
los peñascos:
allí no habita nadie:
sólo el agua y la tierra
y los trenes que aullaban,
los trenes del invierno
en sus ocupaciones
atravesando el mapa
solitario:
reino mío,
reino de las raíces
con fulgor de menta,
cabellera de helechos,
pubis mojado,
reino de mi perdida pequeñez
cuando yo vi nacer la tierra
y yo formaba parte
de la mojada
integridad
terrestre:
lámpara entre los gérmenes y el agua,
en el nacimiento del trigo,

patria de las maderas
que morían
aullando en el aullido
de los aserraderos:
el humo, alma balsámica
del salvaje
crepúsculo,
atado
como un peligroso prisionero
a las regiones de la selva,
a Loncoche,
a Quitratúe,
a los embarcaderos de Maullín,
y yo naciendo
con tu amor,
Terusa,
con tu amor deshojado
sobre mi piel sedienta
como
si las cascadas
del azahar, del ámbar, de la harina,
hubieran trasgredido mi substancia
y yo desde esa hora te llevara,
Terusa,
inextinguible
aún en el olvido,
a través
de las edades oxidadas,
aroma
señalado,
profunda madreselva o canto
o sueño
o luna que amasaron los jazmines
o amanecer del trébol junto al agua
o amplitud de la tierra con sus ríos
o demencia de flores o tristeza
o signo del imán o voluntad
del mar radiante y su baile infinito.

(Memorial de Isla Negra).

«Amores: Terusa (II)» se construye también como evocación desde el tiempo, como el poema anterior. Una fotografía está construyendo el juego de imágenes que el poeta despliega: quedan vigentes dos, el mar y los ojos de la amada, con lo que el poema entra en relación con el 7 de los *Veinte poemas...* Pero ¿qué nuevos sentidos aparecen en la memoria de aquel pasado?

«1921» es una reconstrucción precisa, menos en el título, de la obra de 1924 y de su ámbito imaginativo. Se podrá recordar ahora fácilmente la naturaleza, los lugares e incluso la referencia concreta que el poema desarrolla.

AMORES: TERUSA (II)

Llegan los 4 números del año.
Son como 4 pájaros felices.
Se sientan en un hilo
contra el tiempo desnudo.
Pero, ahora
no cantan.
Devoraron el trigo, combatieron
aquella primavera
y corola a corola no quedó
sino este largo espacio.

Ahora que tú llegas de visita,
antigua amiga, amor, niña invisible,
te ruego que te sientes
otra vez
en la hierba.

Ahora me parece
que cambió tu cabeza.
Por qué
para venir
cubriste con ceniza
la cabellera de carbón valiente
que desplegué en mis manos, en el frío
de las estrellas de Temuco?

En dónde están tus ojos?
Por qué te has puesto esta mirada estrecha
para mirarme si yo soy el mismo?
Dónde dejaste tu cuerpo de oro?
Qué pasó con tus manos entreabiertas
y su fosforescencia de jazmín?
Entra en mi casa, mira el mar conmigo.
Una a una las olas
gastaron
nuestras vidas
y se rompía no sólo la espuma,
sino que las cerezas,
los pies,
los labios
de la edad cristalina.

Adiós, ahora te ruego
que regreses
a tu silla de ámbar
en la luna,
vuelve a la madreselva del balcón,
regresa
a la imagen ardiente,
acomoda tus ojos
a los ojos
aquellos,
lentamente dirígete
al retrato
radiante,
entra en él
hasta el fondo,
en su sonrisa,
y mírame
con su inmovilidad, hasta que yo
vuelva a verte
desde aquél,
desde entonces,
desde el que fui en tu corazón florido.

(Memorial de Isla Negra).

1921

La canción de la fiesta... Octubre,
premio
de la Primavera:
un Pierrot de voz ancha que desata
mi poesía sobre la locura
y yo, delgado filo
de espada negra entre jazmín y máscaras
andando aún ceñudamente solo,
cortando multitud con la melancolía
del viento Sur, bajo los cascabeles
y el desarrollo de las serpentinas.
Y luego, uno por uno,
línea a línea en la casa y en la calle
germina el nuevo libro,
20 poemas de sabor salado
como veinte olas de mujer y mar,
y entre el viaje de vuelta a la provincia
con el gran río de Puerto Saavedra
y el pavoroso golpe del Océano
entre una soledad y un beso apenas
arrancado al amor: hoja por hoja
como si un árbol lento despertara
nació el pequeño libro tempestuoso.
Y nunca al escribirlo
en trenes o al regreso
de la fiesta o la furia de los celos
o de la noche abierta en el costado
del verano como una herida espléndida,
atravesado por la luz del cielo
y el corazón cubierto de rocío,
nunca supuso el solitario joven,
desbocado de amor, que su cadena,
la prisión sin salida de unos ojos,
de una piel devorante, de una boca,
seguiría quemando todo aquello
y aquella intimidad y soledad
continuaría abriendo en otros seres

una rosa perpetua, un largo beso,
un fuego interminable de amapolas.

(Memorial de Isla Negra).

El marco urbano de escritura de los *Veinte poemas...,* con
un eros impetuoso que, con retazos de ciudad, también fundó
la poesía, junto a la soledad y el encuentro de cuerpos en la
noche, es la recreación memorial de «Amores: la ciudad».

AMORES: LA CIUDAD

Estudiantil amor con mes de Octubre,
con cerezos ardiendo en pobres calles
y tranvía trinando en las esquinas,
muchachas como el agua, cuerpos
en la greda de Chile, barro y nieve,
y luz y noche negra, reunidos,
madreselvas caídas en el lecho
con Rosa o Lina o Carmen ya desnudas,
despojadas tal vez de su misterio
o misteriosas al rodar
en el abrazo o espiral o torre
o cataclismo de jazmín y bocas:
fue ayer o fue mañana, dónde huyó
la fugaz primavera? Oh ritmo
de la eléctrica cintura,
oh latigazo claro de la esperma
saliendo de su túnel a la especie
y la vencida tarde con un nardo
a medio sueño y entre los papeles
mis líneas, allí escritas,
con el puro fermento, con la ola,
con la paloma y con la cabellera.
Amores de una vez, rápidos
y sedientos, llave a llave,

y aquel orgullo de ser compartidos!
Pienso que se fundó mi poesía
no sólo en soledad sino en un cuerpo
y en otro cuerpo, a plena piel de luna
y con todos los besos de la tierra.

(Memorial de Isla Negra.)

«Amores: Rosaura (I)» es una larga reflexión que dedicada a la memoria de aquella Albertina Rosa Azócar que hemos visto en los *Veinte poemas*... La identifican ahora el escenario urbano y el natural (el río Mapocho, en Santiago) que nos llevan a la experiencia de la capital en la que el eros se funde a una geografía urbana concreta que se puede identificar en calles de la ciudad (calle Sazié, plazuela de Padura), donde estaba el conventillo (casa de vecindad) en el que los dos se encontraban. Las imágenes sobre el tiempo son la otra gran lección del poema. Rosaura/Albertina finalmente es «hija de Curicó», región chilena-andina que aparece descrita en imágenes del poema.

AMORES: ROSAURA (I)

Rosaura de la rosa, de la hora
diurna, erguida
en la hora resbalante
del crepúsculo pobre, en la ciudad,
cuando brillan las tiendas
y el corazón se ahoga
en su propia región inexplorada
como el viajero perdido,
tarde, en la soledad de los pantanos.

Como un pantano es el amor:
entre número y número
de calle,

allí caímos,
nos atrapó el placer profundo,
se pega el cuerpo al cuerpo,
el pelo al pelo,
la boca al beso,
y en el paroxismo
se sacia la ola hambrienta
y se recogen
las láminas del légamo.

Oh amor de cuerpo a cuerpo,
sin palabras,
y la harina mojada que entrelaza
el frenesí de las palpitaciones,
el ronco ayer del hombre y la mujer,
un golpe en el rosal,
una oscura corola sacudida
vuelca las plumas de la oscuridad,
un circuito fosfórico,
te abrazo,
te condeno,
te muero,
y se aleja el navío del navío
haciendo las últimas señales
en el sueño del mar,
de la marea
que vuelve a su planeta intransigente,
a su preocupación, a la limpieza:
queda la cama
en medio
de la hora infiel,
crepúsculo, azucena vespertina:
ya partieron los náufragos:
allí quedaron las sábanas rotas,
la embarcación
herida,
vamos mirando el Río Mapocho:
corre por él mi vida.

Rosaura de mi brazo,
va su vida en el agua,
el tiempo,
los tajamares de mampostería,
los puentes donde acuden
todos los pies cansados:
se va la ciudad por el río,
la luz por la corriente,
el corazón de barro
corre corre
corre amor por el tiempo
1923, uno
nueve
dos tres
son números
cada uno en el agua
que corría
de noche
en la sangre del río,
en el barro nocturno,
en las semanas
que cayeron al río
de la ciudad, cuando yo recogí
tus manos pálidas:
Rosaura,
las habías olvidado
de tanto que volaban
en el humo:
allí se te olvidaron
en la esquina
de la calle Sazié, o en la plazuela
de Padura, en la picante rosa
del conventillo que nos compartía.
El minúsculo patio
guardó los excrementos
de los gatos errantes
y era una paz de bronce
la que surgía
entre los dos desnudos:

la calma dura de los arrabales:
entre los párpados
nos caía el silencio
como un licor oscuro:
no dormíamos:
nos preparábamos para el amor:
habíamos gastado
el pavimento,
la fatiga,
el deseo,
y allí por fin estábamos
sueltos, sin ropa, sin ir y venir,
y nuestra misión
era
derramarnos,
como si nos llenara demasiado
un silencioso líquido,
un pesado
ácido
devorante,
una substancia
que llenaba el perfil de tus caderas,
la sutileza pura de tu boca.

Rosaura,
pasajera
color de agua,
hija de Curicó, donde fallece el día
abrumado
por el peso y la nieve
de la gran cordillera:
tú eras hija
del frío
y antes de consumirte
en los adobes
de muros aplastantes
viniste a mí, a llorar o a nacer,
a quemarte en mi triste poderío
y tal vez no hubo más

fuego en tu vida,
tal vez no fuiste sino entonces.

Encendimos y apagamos el mundo,
tú te quedaste a oscuras:
yo seguí caminando los caminos,
rompiéndome las manos y los ojos,
dejé atrás el crepúsculo,
corté las amapolas vespertinas:
pasó un día que con su noche
procrearon
una nueva semana
y un año se durmió con otro año:
gota a gota
creció el tiempo,
hoja a hoja
el árbol transparente:
la ciudad polvorienta
cambió del agua al oro,
la guerra quemó pájaros y niños
en la Europa agobiada,
de Atacama el desierto
caminó con arena,
fuego y sal,
matando las raíces,
giraron en sus ácidos azules
los pálidos planetas,
tocó la luna un hombre,
cambió el pintor
y no pintó los rostros,
sino los signos y las cicatrices,
y tú qué hacías
sin el agujero
del dolor y el amor?
Y yo qué hacía
entre las hojas de la tierra?

Rosaura, otoño, lejos
luna de miel delgada,

campana taciturna:
entre nosotros dos el mismo río,
el Mapocho que huye
royendo las paredes y las casas,
invitando al olvido
como el tiempo

(Memorial de Isla Negra).

«Amores: Rosaura (II)» construye otra evocación en la que se intensifican los elementos urbanos, creando un espacio de degradación que se resuelve finalmente en la emergencia de la naturaleza y la lluvia que hace al amor victorioso.

AMORES: ROSAURA (II)

Nos dio el amor la única importancia.
La virtud física, el latido
que nace y se propaga,
la continuidad
del cuerpo
con la dicha,
y esa fracción de muerte
que nos iluminó hasta oscurecernos.

Para mí, para ti,
se abrió aquel goce
como la única
rosa
en los sordos arrabales,
en plena juventud raída,
cuando ya todo conspiró
para irnos matando poco a poco,
porque entre instituciones orinadas
por la prostitución y los engaños
no sabías qué hacer:
éramos el amor atolondrado

y la debilidad de la pureza:
todo estaba gastado por el humo,
por el gas negro,
por la enemistad
de los palacios y de los tranvías.
Un siglo entero deshojaba
su esplendor muerto,
su follaje
de cabezas degolladas,
goterones de sangre
caen de las cornisas,
no es la lluvia, no sirven
los paraguas,
se moría el tiempo
y ninguna y ninguno
se encontraron
cuando ya desde el trono los reinantes
habían decretado
la ley letal del hambre
y había que morir,
todo el mundo tenía que morir,
era una obligación,
un compromiso,
estaba escrito así:
entonces encontramos
en la rosa física
el fuego palpitante
y nos usamos
hasta el dolor:
hiriéndonos
vivíamos:
allí se confrontó la vida
con su esencia compacta:
el hombre, la mujer
y la invención del fuego.

Nos escapamos de la maldición
que pesaba
sobre el vacío, sobre la ciudad,

amor contra exterminio
y la verdad
robada
otra vez floreciendo,
mientras en la gran cruz
clavaban el amor,
lo prohibían,
nadie yo, nadie tú,
nadie nosotros
nos defendimos brasa a brasa,
beso a beso.

Salen hojas recientes,
se pintan de azul las puertas,
hay una nube náyade,
suena un violín bajo el agua:
es así en todas partes:
es el amor victorioso.

(Memorial de Isla Negra).

Las imágenes son el escenario real de los espacios de creación de *Veinte poemas...* A pesar de la insuficiencia de una fotografía, los lugares conectables al imaginario de la obra nos pueden sugerir imágenes complementarias y, en cualquier caso, nos permiten identificar espacios reales. La geografía responde ahora a recursos descriptivos y, sobre todo, a imágenes que ya conocemos. Ofrecemos a continuación la casa de Neruda en Temuco (fig. 1); el copihue (fig. 2); la aldea Nueva Imperial (fig. 3); uno de los barcos que navegaba por el río Imperial (fig. 4); el río Imperial poco antes de desembocar en Puerto Saavedra (fig. 5); el cerro Huilque, en Puerto Saavedra (fig. 6), y la costa de Puerto Saavedra (fig. 7). Todas las imágenes proceden de la revista *Poesía,* núm. 17 (1983), del artículo «Pablo Neruda: biografía fotográfica», basado en un reportaje fotográfico de Ricardo Pereira Viale.

El lector encontrará en seguida la referencia textual de cada fotografía (en los poemas y en las notas), y podrá jugar con la relación de las imágenes con la palabra (¿es, por ejemplo, la figura 7 la costa del espanto del poema 7?). Si nos fuera posible viajar a Temuco y a Puerto Saavedra, podríamos todavía ver copihues, el cerro Huilque, el río Imperial, y encontrar algún bote abandonado donde leer en su interior el *Juan Cristóbal* de Romain Rolland o, mejor, los *Veinte poemas de amor y una canción desesperada.*

Fig. 1: Casa de Pablo Neruda en Temuco

Foto: Ricardo Pereira

Fig. 2: El copihue
Foto: Ricardo Pereira
«Te traeré de las montañas flores alegres, copihues...» (poema 14).

Fig. 3: La aldea de Nueva Imperial, otro de los escenarios
de la obra

Foto: Ricardo Pereira

Fig. 4: Un barco navegando por el río Imperial

Foto: Archivo del Museo Histórico Nacional de Santiago

«No hay nada más invasivo para un corazón de quince años que una navegación por un río ancho y desconocido...» (Neruda, *Confieso que he vivido*).

Fig. 5: El río Imperial, en su desembocadura en Puerto Saavedra

Foto: Ricardo Pereira

«Cuando estuve por primera vez frente al océano quedé sobrecogido» (Neruda, *Confieso que he vivido*).

Fig. 6: El cerro Huilque

Foto: Ricardo Pereira

«Allí entre dos grandes cerros (el Huilque y el Maule) se desarro-llaba la furia del gran mar» (Neruda, *Confieso que he vivido).*

Fig. 7: Costa de Puerto Saavedra

Foto: Ricardo Pereira

«... de tu mirada emerge a veces la costa del espanto...» (poema 7).

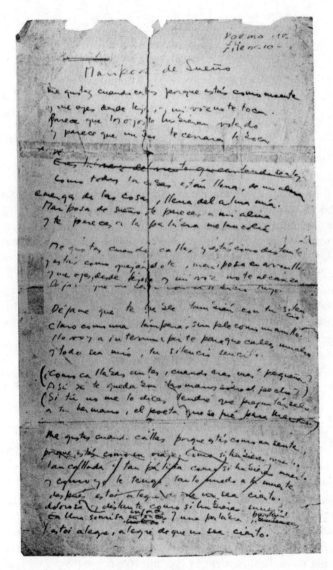

Manuscrito del poema 15

TALLER DE LECTURA

La poesía exige un tipo de atención que debemos plantear ahora, abriendo de nuevo los textos a las posibilidades ya anunciadas en la introducción y en la anotación de los poemas. Nuestro análisis ha de abarcar temas, personas implicadas, espacio y tiempo de la obra (análisis temático); recursos expresivos (análisis retórico o estilístico) y las estructuras rítmicas, que hacen que las palabras suenen de una forma determinada. De la integración de estos tres niveles (temático, estilístico y métrico) puede surgir la explicación del valor superior que ha adquirido la palabra en su conformación poética.

CLAVES PARA UNA LECTURA

1. TEMAS Y MOTIVOS PRINCIPALES

1.1. Siendo el tema único y recurrente el amor, no será difícil establecer en la obra diferentes perspectivas y estados de ánimo del sujeto lírico: el amor como plenitud erótica: «Cuerpo de mujer, blancas colinas, muslos blancos, / te pareces al mundo en tu actitud de entrega. / Mi cuerpo de labriego salvaje te socava...» (poema 1); como expresión emocional: «Eres mía, eres mía, mujer de labios dulces, / y viven en tu vida mis infinitos sueños» (poema 16); como pérdida: «Qué importa que mi amor no pudiera guardarla. / La noche está estrellada y ella no está conmigo» (poema 20); como memoria: «Te recuerdo como eras en el último otoño. / Eras la boina gris y el corazón en calma» (poema 6); como abandono: «Abandonado como los muelles en el alba. / Es la hora de partir, oh abandonado! *(Canción desesperada);* como desesperación: «Soy el desesperado, la palabra sin ecos, / el que lo perdió todo, y el que todo lo tuvo» (poema 8).

— A partir de la lectura de la obra, y utilizando el epígrafe de la introducción: «Un sentido esencial y algunos momentos centrales», podrás realizar un recorrido por fragmentos y poemas que representen los estados de ánimo anteriormente citados, comentando cuáles son los más frecuentes, cómo se estructuran en el decurso del libro y en qué momentos aparecen predominantemente unos y otros asociados al estado de la relación amorosa que se narra.

1.2. La melancolía impregna gran parte de la obra. Son las palabras *triste* y *tristeza* sus indicadoras principales, pero lo más importante es encontrar contextos que, con estas palabras u otras, den cuenta de ella. Asociada a la melancolía está casi siempre la nostalgia de la situación vivida en el pasado. Recordemos como ejemplo algunos versos: «De aquel árbol se quejan, como enfermos, las hojas. / Abeja blanca, ausente, aún zumbas en mi alma. / Revives en el tiempo delgada y silenciosa» (poema 8); «Hemos perdido aun este crepúsculo. / Nadie nos vio esta tarde con las manos unidas...» (poema 10).

— Señala otros fragmentos y poemas que identifiquen los estados de melancolía del sujeto lírico, planteando la asociación de esta situación a la nostalgia.
— Indica y comenta, finalmente, el poema que reflejaría de una forma continua esta sensación vinculada a la memoria del amor.

1.3. Hay también en el libro una apertura fragmentaria a elementos de angustia: «Ansiedad que partiste mi pecho a cuchillazos, / es hora de seguir otro camino, donde ella no sonría» (poema 11), con el intento también de que ésta no alcance al poeta: «Ay seguir el camino que se aleja de todo, / donde no esté atajando la angustia, la muerte, el invierno...» (poema 11). El anuncio de la angustia tiene varios momentos y un poema concreto, la *Canción desesperada,* en el que la melancolía transita hacia la nueva situación.

> — Indica estos momentos de angustia en la obra y determina en el poema aludido los contextos que dan cuenta de esa situación de tránsito desde una tristeza contenida a la desesperación.

1.4. Albertina Rosa Azócar, Teresa Vázquez León y, con un solo poema, María Parodi, serían los referentes reales del amor. Hemos destacado, sin embargo, la falta de relevancia del asunto a excepción de la que procede del origen textual de los poemas (a quiénes se los dedica y cómo son los manuscritos previos) y la vinculación de las dos primeras mujeres a espacios diversos: ciudad/naturaleza (léase el texto de Neruda del epígrafe «Confieso que he vivido» en la Documentación complementaria). Así, Albertina («Marisombra» en el texto citado) tendría una imagen urbana que sólo aparece lejanamente en el poema 6, mientras que las imágenes de naturaleza envuelven a las dos a lo largo de todo el libro.

> — Tras situar a la destinataria en cada poema, utilizando los comentarios a éstos, comprobarás la falta de contextos urbanos, la actitud de evocación desde espacios naturales hacia Albertina, pero sobre todo la persistencia natural en la definición de las dos y las situaciones vividas, para realizar una fusión de imágenes que identifique quizá a las protagonistas de la obra como un solo sujeto.

— Realiza un breve resumen de los espacios de naturaleza principales que identifican a la mujer a lo largo de la obra. Comprueba, por ejemplo, cómo en el poema 7 la identificación de Teresa funciona como presente en la naturaleza, mientras que en el 14, Albertina es evocada desde la naturaleza. ¿En qué versos?

— Busca otros contextos que respondan a esta identificación.

— Analiza la imagen de la naturaleza en los dos últimos poemas, que, al responder al final de la experiencia amorosa, integran una única referencia de mujer.

1.5. La amada-inmaterial («mariposa de sueño», poema 15) y la amada-materia («Cuerpo de mujer, blancas colinas, muslos blancos», poema 1) polarizan dos visiones diferentes de la mujer en la obra (véase Introducción: «Un sentido esencial...», y los comentarios a los poemas 2, 8, 11 y 15).

— Señala qué otros fragmentos y poemas responden a cada visión y qué valores tiene esta representación material/inmaterial de la amada, vinculándola a las situaciones descritas, al estado emocional del poeta, a la imagen concreta que se pretende establecer sobre la relación mantenida.

1.6. Las imágenes del eros abren una línea expresiva que Neruda recuperará con fuerza y con extensión determinante en la poesía posterior, sobre todo a partir de *Los versos del capitán*. Como ejemplo, señalamos los versos: «Se parecen tus senos a los caracoles blancos. / Ha venido a dormirse en tu vientre una mariposa de sombra» (poema 8).

— Indica los versos y los poemas que utilizan estas imágenes eróticas, confrontándolas con los otros tipos de imágenes sobre la mujer y el amor.

— Analiza el peso que tienen en el conjunto de la obra. Del análisis se desprenderá un comienzo insinuante en

el lenguaje erótico, y una ansiedad concreta al final de
la historia de amor, cuando es la memoria la que resalta
la vivencia del eros.

1.7. La naturaleza tiene un protagonismo capital en toda la
obra (como comparación, metáfora, escenario real, atribución
a la amada de elementos naturales, identificación de sí mismo
y marco de la relación amorosa). Tras recorrer nuevamente estos contextos en los poemas, recuérdese que hemos hablado
de dos naturalezas en algunos momentos: una, agresiva y violenta («He aquí la soledad de donde estás ausente. / Llueve. El
viento del mar caza errantes gaviotas», poema 8); otra, pla-
centera y amable («Innumerable corazón del viento / latiendo
sobre nuestro silencio enamorado», poema 4). En las notas de
algunos poemas hay indicaciones al respecto.

— Puedes señalar otros contextos de estos valores de
la naturaleza, intentando vincularlos a los estados de
ánimo de la situación amorosa que se narra. El análisis
debe tener en cuenta siempre la referencia natural, con-
textualizándola con la emocional, como, por ejemplo:
«La furia triste, el grito, la soledad del mar. / Desbocado, violento, estirado hacia el cielo» (poema 17), en
relación a la soledad del sujeto en el mismo poema.

1.8. En la primera nota de comentario del Poema 1 señalamos
el origen probable de la naturaleza-cuerpo de mujer en el *Cantar de los cantares* bíblico y en el *Cántico espiritual* de San
Juan de la Cruz. La anécdota de que Neruda a los dieciséis
años quería titular un libro como *Las ínsulas extrañas* ratifi-
caba la afirmación.

— Relee el poema 14 y señala los versos en los que se
vincula la naturaleza al espacio del amor (como las siguientes: «Déjame tenderte entre guirnaldas amarillas»,
verso 6).

Tras la lectura de las dos obras mencionadas, encontrarás coincidencias como: «Confortadme con pasteles de pasas, / con manzanas reanimadme, / que de amor estoy enferma» *(Cantar de los cantares,* 2, 5); «A nuestras puertas hay toda una suerte de frutos exquisitos. / Los nuevos, igual que los añejos / los he guardado, Amado mío, para ti» *(Ibídem,* 7, 14); «Te llevaría, te introduciría / en la casa de mi madre, y tú me enseñarías. / Te daría a beber vino aromático, / el mosto de mis granadas» *(Ibídem,* 8, 2); «De flores y esmeraldas, / en las frescas mañanas escogidas, / haremos las guirnaldas, / en tu amor floridas / y en un cabello mío entretejidas» *(Cántico espiritual,* 30), lo que evidencia el desarrollo de una lejana y duradera influencia en los lenguajes del amor de Neruda y de tantos otros contemporáneos.

1.9. La naturaleza se transforma con una temporalidad cíclica en la que las estaciones (primavera, verano, otoño, invierno) van creando sentidos también para el tiempo del amor y los estados de ánimo del sujeto lírico: plenitud, goce, desolación, melancolía, abandono, angustia, etc. Así hasta el último poema, que, sin referencia explícita, es invernal.

— Sin embargo, las referencias explícitas estacionales son pocas. Se realizan cada una en un poema. Búscalas en los poemas 4, 6, 11 y 14 y señala, tras contextualizar cada referencia, los valores emocionales que se atribuyen a cada estación. ¿Existen contraposiciones?

1.10. Otro indicio de temporalidad es el juego que la obra establece entre la noche y el día. La noche tiene veinticinco presencias en la obra «... y en mí la noche entraba su invasión poderosa» (1, 6), y «De la noche las grandes raíces» (2, 10, por ejemplo). El día, sin embargo, tiene cuatro presencias. El régimen nocturno de la obra parece evidente por la presencia masiva de la palabra *noche:*

— Tras rastrear las presencias de la noche y el día, observarás, además, que dos de estas últimas tienen significados relacionados con la noche. ¿Cuáles son? ¿Qué indican los otros dos? ¿Implica la sucesión cotidiana del tiempo una situación activa del amor?

— ¿A qué espacio cultural o movimiento literario conectaríamos este predominante régimen nocturno? Los *Himnos a la noche* de Novalis pueden ser una pista certera. Pero la obra, escrita en el siglo XX, con elementos modernistas e, incluso, vanguardistas, necesitaría otro calificativo. Se ha utilizado la noción de neorromanticismo para definirlo.

— ¿Con qué clima emocional o estado de ánimo del sujeto lírico conectaríamos el espacio nocturno? En la estructura de la obra, ¿en qué momento tiende a acrecentarse?

1.11. Otros indicadores de temporalidad son términos como *crepúsculo* (11 presencias); *atardecer* (2); *mañana* (1).

— Tras aislar sus contextos, ¿qué valores concretos tienen éstos en el conjunto de la obra? ¿A qué momentos o estados de ánimo se conectan?

— La insistencia en el *crepúsculo* (léase la nota 2 del poema 10), ¿qué indicaciones plantea en la obra de Neruda con relación a un movimiento literario e incluso a su propia producción? (para concretar la respuesta véase en la Introducción el epígrafe «Temuco, en el centro de Chile, hacia el sur»).

1.12. Los colores de la naturaleza pueden servir también de indicadores de estado de ánimo en relación a la situación amorosa. La coloración en la obra está representada por *blanco* (11 presencias), *negro* (7); *oscuro* (7); *azul* (7); *pálido* (4); *amarillo* (1); *claro* (3); *gris* (3); *dorado* (1); *rojo* (1).

— Tras aislar sus contextos, intenta conectar y siste-
matizar estos colores con estados de ánimo.

1.13. La temporalidad central de la obra está indicada en la
Canción desesperada, en la que, desde el presente de desolación («Emerge tu recuerdo de la noche en que estoy»), se da
cuenta del amor del pasado como plenitud («En ti se acumularon las guerras y los vuelos», etc.) y hay una breve apertura a
un futuro de incertidumbre y dolor («Es la hora de partir»).

— Señala otros fragmentos y poemas de la obra de
acuerdo a esta temporalidad (presente, pasado y futuro),
indicando qué valores mantienen para definir el decurso
de la experiencia amorosa.

1.14. «De mí huían los pájaros», nos dice Neruda en el Poema 1, y, a partir de aquí, ese movimiento de pájaros recorre
todo el poemario hasta la *Canción desesperada.*

— Tras aislar los contextos y releer la nota 2 del poema 14, ¿puedes señalar los valores de los versos con
este motivo y sus significados con relación a la experiencia narrada?

1.15. A pesar del final de la relación, ésta y su término sirvie-
ron para crear el canto, la poesía, nos dice Neruda, por ejemplo en la *Canción desesperada:* «De ti alzaron las alas los pájaros del canto», «Aún floreciste en cantos», etc.

— Señálense otros momentos en los que la atribución
del canto a la amada indique el origen de la poesía.

2. ESTILO Y FORMA EXPRESIVA

El complejo sistema metafórico ya ha sido indicado en las
notas que acompañan a los poemas. Hemos podido comprobar

los grandes núcleos (la naturaleza, el mar, los crepúsculos, la
noche, el viento, el tiempo, los espacios urbanos y naturales...)
que articulan los campos metafóricos principales a través de
los cuales se da cuenta de una situación de amor y de su pro-
gresivo hundimiento. También nos hemos detenido en el au-
daz sistema de comparaciones. Debemos plantearnos ahora
otros problemas: la articulación estilística del texto, su entramado léxico y las estructuras métricas sobre el conjunto de los
poemas.

El análisis de las figuras estilísticas aportará una valoración
global del texto. Ejemplificaremos aquí algunos casos, como
invitación al lector para que complete y analice otros y contri-
buir con este tipo de análisis a una nueva lectura de los contextos señalados en los poemas.

2.1. Veamos, por ejemplo, cómo la reiteración de una o más
palabras al comienzo de frase o verso (anáfora) resalta su valor expresivo y llama la atención sobre la misma:

> Ah los vasos del pecho! Ah los ojos de ausencia!
> Ah las rosas del pubis! Ah tu voz lenta y triste!
>
> (Poema 1).
>
> Viento que lleva en rápido robo la hojarasca
>
> (...)
>
> Viento que la derriba en ola sin espuma
>
> (Poema 4).

> Me gustas cuando callas porque estás como ausente
>
> (...)
>
> Me gustas cuando callas y estás como distante.
>
> (Poema 15).

— En los ejemplos expuestos, ¿qué valores tienen las
palabras reiteradas en el poema al que pertenecen? ¿A
qué contexto atribuiríamos la insistencia en la admira-
ción o sorpresa (poema 1)? ¿Qué palabra tendría el va-

lor de intensificar la tempestad descrita en el poema 4?
¿A qué sintagma reiterado le daríamos el valor sintético
del sentido de todo el poema 15?

2.2. También resalta en el decurso rítmico el valor de la palabra reiterada y enlazada entre el final de un verso y el comienzo del siguiente (anadiplosis), lo que plantea generalmente valores de solemnidad y emoción sobre la misma:

> Ámame, compañera. No me abandones. Sígueme.
> Sígueme, compañera, en esa ola de angustia.
>
> (Poema 5).

> Mi alma nace a la orilla de tus ojos de luto.
> En tus ojos de luto comienza el país del sueño.
>
> (Poema 16).

— Al integrarlas en el contexto, ¿por qué puede ser
clave en un poema la invitación solemne y emocionada
a continuar el amor? ¿Por qué a través de los ojos de la
amada se realiza la vinculación del alma del poeta con
el país del sueño?

2.3. Puede observarse en los siguientes versos cómo la ausencia de nexos (asíndeton) confiere al texto fluidez verbal y dinamismo, e intensifica la fuerza expresiva de la palabra:

> —Ah vastedad de pinos, rumor de olas quebrándose,
> lento juego de luces, campana solitaria,
> crepúsculo cayendo en tus ojos, muñeca,
> caracola terrestre, en ti la tierra canta!
>
> (Poema 3).

> —Quejumbre, tempestad, remolino de furia,
>
> (Poema 11).

— Las atribuciones naturales inmediatas se refieren a dos sujetos diferentes y tienen valores diversos. Uno de los ejemplos es de presentación inicial y dinámica de la amada, con valores que se desarrollarán luego en el poema; el otro, de presentación emocional de sí mismo. ¿Podrías señalarlos restituyéndolos a sus contextos?

2.4. El uso de palabras de significación opuesta (antítesis) resalta la expresividad de un estado, un sentimiento, una emoción, una definición personal:

> lunar, solar, ardiente y frío...
>
> (Poema 9).

— ¿Por qué razón se define el poeta en esos términos contradictorios? ¿Recuerdas en qué tradición aparecen esas situaciones contrarias en la definición del amor? ¿Qué poetas de nuestro Barroco hicieron sistema de este tipo de construcción?

2.5. Al valor reiterativo de la anáfora se une la disposición en apertura y clausura de la palabra o frase (epanadiplosis), reduplicando así el valor expresivo y la llamada de atención sobre la misma:

> Última amarra, cruje en ti mi ansiedad última.
>
> (Poema 8).

> Abandonado como los muelles en el alba.
> Es la hora de partir, oh abandonado!
>
> (Canción desesperada).

— En los dos contextos se construye la figura sobre palabras esenciales de la experiencia amorosa narrada. ¿Podrías comentar sus valores con relación a cada poema y al sentido último de la misma?

2.6. Los mismos valores que la anáfora tienen la reiteración
al comienzo de varios enunciados (epanalepsis) y la reiteración en el comienzo, en la mitad o al final (epanáfora), como
observamos en los siguientes ejemplos:

> Eres mía, eres mía, voy gritando en la brisa.
>
> (Poema 16).

> Entre los labios y la voz, algo se va muriendo.
> Algo con alas de pájaro, algo de angustia y de olvido.
>
> (Poema 13).

— Tras la restitución contextual, señala los valores de
énfasis en los poemas a los que pertenecen, haciendo
referencia a sentidos globales de: «Eres mía», y «algo».

2.7. La reiteración de la palabra al final del verso (epístrofe),
al coincidir con espacios de rima, une, en su potenciación expresiva, el valor léxico al valor fónico-métrico.

> Como todas las cosas están llenas de mi alma,
> emerges de las cosas, llena del alma mía.
> Mariposa de sueño, te pareces a mi alma.
>
> (Poema 15).

— La palabra reiterada, ¿qué valores centrales asume
como extensión del poeta a todo su entorno, frente al
silencio querido de la amada?

2.8. La aparición gradual y progresiva de una serie de palabras o
períodos permite dotar a la palabra de formas de emoción o de
mayor precisión. Las gradaciones ascendentes (pensamos que
todas las aquí recogidas, a excepción de la del poema 11) condu-
cen al *clímax;* mientras las descendentes al *anticlímax:*

> ... donde la sed eterna sigue,
> y la fatiga sigue, y el dolor infinito.
>
> (Poema 1).

Absorta, pálida, doliente, así situada

(Poema 2).

donde no esté atajando la angustia, la muerte, el invierno,

(Poema 11).

— ¿Por qué estas gradaciones se convierten en momentos clave de la expresión? ¿Por qué identificamos como descendente la del poema 11 en relación a palabras esenciales de la obra?

2.9. Frecuente en la clasicidad poética, la alteración del orden sintáctico (hipérbaton) resalta por su posición imprevista el valor de ciertas palabras:

de modo que un pueblo pálido y azul
de ti recién nacido se alimenta.

(Poema 2).

— ¿Qué palabra queda más resaltada? ¿A quién está atribuida?

2.10. Veamos también en el siguiente ejemplo cómo la interrogación retórica, al ser innecesaria, enfatiza lo ya conocido:

Quién eres tú, quién eres?

(Poema 17).

— Tras analizar todo el clima de irrealidad que el poema construye, ¿qué valor de significación te sugiere?

2.11. La metonimia, como la metáfora, intensifica el valor de los términos relacionados, resaltando, en la elección, por ejemplo, de la parte por el todo, el valor expresivo o sintético de la parte, como en el ejemplo que damos:

> Eras la boina gris y el corazón en calma.
>
> (Poema 6).

— Utilizando las notas al poema y la introducción, ¿qué valor confiere la figura al objeto concreto resaltado?

2.12. En la asociación de dos términos opuestos (oxímoron) se crea un nuevo valor expresivo de la misma oposición:

> Un sol negro y ansioso te enrolla en las hebras.
>
> (Poema 19).

— ¿Qué valores en el contexto solar del poema darías al «sol negro»? ¿Cómo actúa en relación con la figura femenina?

2.13. Una larga tradición del paralelismo —léxico, sintáctico, rítmico— es en la poesía contemporánea de verso libre una forma de ajustamiento, precisión, reiteración de los elementos que la construyen:

> Ah los vasos del pecho! Ah los ojos de ausencia!
> Ah las rosas del pubis! Ah tu voz lenta y triste!
>
> (Poema 1).

> Para mi corazón basta mi pecho,
> para tu libertad bastan mis alas.
>
> (Poema 12).

> Era la sed y el hambre, y tú fuiste la fruta.
> Era el duelo y las ruinas, y tú fuiste el milagro.
>
> (Canción desesperada).

— ¿Qué valor tiene el paralelismo en estos casos? ¿Reiteración, resolución de la experiencia, ajuste versal...?

2.14. La personificación intensifica la relación de la naturaleza con las actitudes, cualidades, disposiciones humanas, por lo que es una forma de desarrollar la intensidad emocional de la visión de las cosas:

El agua anda descalza por las calles mojadas.

(Poema 8).

Ansiedad que partiste mi pecho a cuchillazos.

(Poema 11).

El viento de la noche gira en el cielo y canta.

(Poema 20).

— En un libro tan repleto de imágenes de la naturaleza, ¿qué valor tendrán las personificaciones de la misma?

3. ESTRUCTURAS MÉTRICAS

Ofrecemos a continuación un esquema de la métrica de los *Veinte poemas...* Entre paréntesis se indica el número de poemas que responden a cada estructura indicada. Se observará que algunas formas métricas pertenecen a la tradición modernista y otras se emparientan con el vanguardismo.

Cuartetas de versos alejandrinos con rima asonante en los pares (5).
Cuartetas de versos alejandrinos con rima consonante en los pares y reiteración de palabras en el espacio de rima (1).
Cuartetas de versos alejandrinos (con algún endecasílabo) y rima libre (1).

Cuartetas de versos endecasílabos con rima asonante en los pares y alguna irregularidad métrica (1).

Dísticos alejandrinos con rima asonante en los pares (1).

Dísticos alejandrinos con rima asonante en los pares, a excepción de los versos 1 y 3 (1).

Dísticos con predominancia de alejandrinos con rima asonante en los pares (2).

Dísticos con predominancia de alejandrinos con rima asonante en los pares y la reiteración de un verso-estribillo pentasilábico (1).

Versificación libre (6).

Versos libres con alguna rima asonante (2).

— Tras comprobar qué poemas se adaptan a cada estructura y situar las estructuras métricas enunciadas dentro de la tradición del modernismo (la recuperación del alejandrino, por ejemplo, o la cuarteta, o los dísticos) y la evolución al versolibrismo de la vanguardia, ¿qué poemas identificarías dentro de la tradición métrica del modernismo y cuáles responderían más a la vanguardia? ¿Cómo se funden estas dos referencias métricas en algunos casos en un mismo poema?

4. COMENTARIO DE TEXTO

En las notas a los poemas hemos facilitado unas líneas de interpretación de los mismos. En este apartado vamos a profundizar en dos de ellos (el poema 7 y *La canción desesperada),* analizándolos comparativamente y ofreciendo unas pautas para el comentario.

4.1. Tras la lectura de los dos poemas, conviene comenzar valorando, ante todo, la experiencia que se narra en cada uno de ellos, en cuanto sus sentidos son contrarios en relación con el momento amoroso.

— ¿Cómo definirías el estado emocional del poema 7 y cómo el de *La canción desesperada?* Señala los versos clave de una y otra situación.

4.2. Puede observarse la proximidad imaginativa de uno y otro —las metáforas marítimas— con su diferente valor connotativo.

— ¿De qué manera valoras el mar del poema 7? ¿Cómo podríamos definir el de *La canción desesperada?* Aísla las imágenes principales de una y otra definición.

4.3. Observa la espacialidad de los dos poemas en la estructura opositiva *elevado* (connotación positiva) / *descendido* (connotación negativa). Así:

+ elevado: faro, vuelo, pájaros, etc.
_____
– descendido: sentina, naufragio, pozo, etc.

— ¿Podrías señalar estos valores en uno y otro poema, indicando su significado último en relación al estado de la experiencia amorosa?

4.4. Tengamos en cuenta ahora sólo el poema 7. En su identificación métrica hemos visto que está compuesto por dísticos con predominio de alejandrinos y rima asonante en los pares.

— ¿Cómo se situaría esta estructura en el marco del modernismo y de la vanguardia posterior?

4.5. En el poema se construye la significación mediante un campo semántico principal, el mar, y una sucesión de metáforas marítimas.

— Señala las palabras clave de ese campo y las metáforas que lo desarrollan, conectándolas a los sujetos a los que están atribuidas.

4.6. Existe una oposición de un campo semántico referente a luz-fuego, y otro a tinieblas-noche.

— Señala los términos principales y vincúlalos a la experiencia amorosa narrada.

4.7. El texto se construye también con una oposición espacial (elevado/descendido).

— ¿Qué función cumple en relación con los sujetos poéticos?

4.8. Los elementos señalados pueden ahora entrelazarse a una lectura global del poema en la que, utilizando la introducción y las notas, se analicen otras cuestiones.

— ¿Hay referentes autobiográficos que den cuenta del espacio de creación o de referencia del poema?
— ¿Cuál es la temporalidad de la experiencia y qué valor tiene?
— Los ojos de la amada concreta, Terusa, pueden relacionarse con otro texto de otra época («Amores: Terusa (II)» de la Documentación complementaria). ¿Qué imagen se desprende de un texto y otro?

4.9. Pasemos ahora a *La canción desesperada*.

— ¿Qué estructura métrica tiene? ¿A qué tradición responde?

4.10. Un grupo de imágenes crea una estructura metafórica principal y reiterada, basada en el mar.

— ¿Podrías conectar estas imágenes a otras del conjunto de la obra señalando su valor diferente? ¿Cómo definirías las de ahora?

4.11. En el texto se desarrollan dos acciones en dos espacios opuestos y situadas en tiempos diversos:

$$\frac{\text{Derrumbe}}{\text{Ascenso}} = \frac{\text{«Descendido»}}{\text{«Elevado»}}$$

— Tras señalar las imágenes y situarlas en cada tiempo narrado, ¿cuáles son las más frecuentes y qué valor tienen?

4.12. Los versos «De ti alzaron las alas los pájaros del canto»... «Aún floreciste en cantos, aún rompiste en corrientes».

— ¿Qué idea nos dan de la relación entre la experiencia narrada y la poesía?

4.13. El verso «Hice retroceder la muralla de sombras».

— ¿A través de qué motivo plantea la relación con *El hondero entusiasta*? ¿Podrías recordar otros momentos de la relación de las dos obras?

4.14. Tras una nueva lectura del poema, podremos abordar otros sentidos del mismo.

— Señala los versos correspondientes a las sensaciones centrales de plenitud, soledad, fracaso, situándolos en su temporalidad concreta.

— ¿Cómo valorarías el espacio nocturno de la obra en la tradición cultural con la que se relaciona?

5. PARA UN TRABAJO INTERDISCIPLINAR

Sugerimos ahora algunas cuestiones que servirían para entrelazar espacios de la obra con la enseñanza de otras materias. Se trata de indicaciones en relación con los siguientes aspectos:

5.1. *Geografía:* a lo largo del libro, en la introducción, en las notas, en las imágenes, se han citado varios lugares. Con ellos podría confeccionarse un mapa de la geografía de los *Veinte poemas...*

5.2. *Literatura francesa:* quizá es un detalle en el que no ha reparado la crítica. En las notas a «La canción desesperada», recordamos que Neruda dice:

> «En un esbelto y largo bote abandonado, de no sé qué barco náufrago, leí entero el *Juan Cristóbal* y escribí la "Canción desesperada". Encima de mi cabeza el cielo tenía un azul tan violento como jamás he visto otro. Yo escribía en el bote, escondido en la tierra. Creo que no he vuelto a ser tan alto y tan profundo como en aquellos días. Arriba el cielo azul impenetrable. En mis manos el *Juan Cristóbal* o los versos nacientes de mi poema».

Ya dijimos que se refería al *Jean Christophe,* de Romain Rolland. La obra, que se publicó en 1912, en Francia, tiene un paralelismo esencial en el río que la abre, el Rin, y otras posibilidades de comentario: la historia de una vida, la misma personalidad del autor que tantos paralelismos en actitudes y en reconocimiento tendrá con Neruda. Un comentario sobre estos aspectos permitiría entrar en un camino en el que, creo, nadie ha transitado. Para la lectura de la obra, recomendamos la edición comentada (aunque fragmentaria) de Pierre Curnier (Romain Rolland, *Jean Christophe,* París, Nouveaux Classiques Larrousse, 1974). Avanzamos una pista, por lo que dijimos en la Introducción acerca del «viajero inmóvil»: la autobiografía de Romain Rolland se titula *El viaje interior.*

5.3. *Sociología:* en la introducción citábamos una frase de Jaime Concha comentando este libro, en la que el crítico chileno afirmaba que: «Lo decimos sin ambages: si hay algo que representa la poesía de los *Veinte poemas,* si hay algo que determinó una lectura tan extendida en los países del continente, no es otra cosa que el eros de la pobreza, un amor a la medida de la clase media». La valoración abre un debate sobre lo que en esa frase se afirma. La base sería una discusión sobre amor y sociedad, o amor y grupos sociales. ¿Existe una experiencia amorosa distinta y acorde con cada clase social?

5.4. *Materiales complementarios*

Hay varios discos basados en *Veinte poemas,* como:

— Pablo Neruda, *20 poemas de amor y una canción desesperada*, EMI Odeon chilena, S. A., 103011, 1979.
  Contiene la totalidad de la obra recitada por su autor.

— *Paco Ibáñez interpreta a Pablo Neruda*, Ariola BMG 9J259167, Madrid, 1988.
  Contiene: «Me gustas cuando callas porque estás como ausente», «Todo en ti fue naufragio», «Puedo escribir los versos más tristes esta noche», «Inclinado en las tardes tiro mis tristes redes», «Te recuerdo como eras en el último otoño», «Para mi corazón basta tu pecho». La cara B está dedicada a poemas del argentino Raúl González Tuñón.

TALLER DE CREACIÓN

1. UNA RECREACIÓN CONTEMPORÁNEA

En 1986 el escritor chileno Antonio Skármeta publicó una novela titulada *Ardiente paciencia. El cartero y Pablo Neruda,* basada en una pieza dramática escrita en 1982. En el texto teatral y en la novela se cuentan los últimos años de Neruda (la espera del Nobel, su aislamiento en Isla Negra, su participación en la campaña electoral de 1969 que había de llevar al triunfo a la Unidad Popular, el tiempo de embajador en París, hasta el golpe de Estado de septiembre de 1973, que acabó con la democracia en Chile y precipitó la muerte de Neruda). Comparte el escenario narrativo un cartero, Mario Jiménez, que tiene como tarea casi exclusiva llevar al poeta la voluminosa correspondencia que le llega todos los días a su casa de Isla Negra. Esta relación permite diálogos, ternura y un padrinazgo moral y literario de Neruda sobre el joven cartero, obsesionado por la poesía y el amor. A una versión cinematográfica del propio Skármeta, sucedió en 1994 la película dirigida por Michael Radford e interpretada por Philippe Noiret, en el papel de Neruda, y Massimo Troisi, en el papel de cartero. Estrenada en el festival de Venecia en 1994, el triunfo internacional de la película provocó un cambio de título en las futuras ediciones de la obra: *El cartero de Neruda (Ardiente paciencia)* (Barcelona, Plaza & Janés, 1995).

1.1. *Lecciones de metáfora*

Si se tiene la posibilidad de leer la novela de Skármeta, aconsejamos la relectura atenta de las págs. 22-26, donde Neruda y el cartero conversan sobre las metáforas como medio de expresión de conocimientos y sentimientos que no cabe decir de otro modo. Sobre la base de los ejemplos allí aportados

—léanse también las págs. 67-69—, vamos a tratar de conver-
tirnos en imitadores o «plagiarios» de Neruda.

1.2. *Propuestas de actividades*

1. Trata de crear una breve narración a partir de alguno de
los *Veinte poemas*... Toma como base el poema 4: en la nota 2
hay un texto de Neruda que explica la circunstancia de su creación. Esa circunstancia puede ser ampliada como marco narrativo, recurriendo a descripciones basadas en las imágenes del
mismo poema. La situación de los enamorados se resaltará a
partir del uso imitativo de las formas de diálogo amoroso de
otros poemas, sirviéndonos de las mismas o transformándolas.

2. La actividad anterior se realizará también con «La canción desesperada», teniendo en cuenta la circunstancia de escritura del poema (nota 2) y las imágenes del río Imperial, del
cerro Huilque o de la Costa de Puerto Saavedra, que damos en
la Documentación complementaria, que pueden servir de base
a nuestra descripción. Se construirá la narración sobre la
misma situación de despedida, abandono y desesperación que
se narra en el poema, intentando imitar elementos del lenguaje.

3. También se puede inventar un personaje que tenga que
ver con Neruda, en el marco juvenil de los dieciocho a los
veinte años (el tiempo de escritura de los *Veinte poemas...*), e
intentar crear un diálogo con el poeta en el que se hable del
amor, de la poesía, de la naturaleza.

4. El análisis de los elementos más característicos de los
Veinte poemas... permitirá describir a una persona querida mediante un sistema de comparación y con el uso concreto del
material imaginativo de la obra, centrando algunos de sus recursos: la naturaleza, el mar, materialidad o inmaterialidad
(formas de la misma).

1.3. *Sonidos de la naturaleza para identificar el imaginario de los* Veinte poemas...

Volvamos al texto de Skármeta. La vida del poeta se complica tras el triunfo de Unidad Popular y Neruda se va de embajador de Chile a París. Desde allí le manda una carta a Mario, con una grabadora, pidiéndole que le busque sonidos que le faltan: el mar, los pájaros, los sonidos de la casa, las campanas... Mario Jiménez se apresta a ello y consigue hacerlo.

Neruda recibe en París dos semanas más tarde una amplia grabación del cartero en la que le cuenta cosas cotidianas y le dedica un poema. Tras éste, recibe una secuencia de sonidos («Uno, el viento en el campanario de Isla Negra [...] Dos, yo tocando la campana del campanario en Isla Negra [...] Tres, las olas en el roquerío de Isla Negra [...] Cuatro, canto de las gaviotas [...] Cinco, la colmena de abejas [...] Seis, retirada del mar...», págs. 105-106).

1.4. *Propuestas de actividades*

1. No será difícil conectar los principales sonidos descritos con imágenes de los *Veinte poemas...*, agrupándolas sistemáticamente con cada uno de los elementos.

2. Desde una perspectiva de descripción similar a la de Skármeta, este material podrá servirnos para ampliar las narraciones desarrolladas en el anterior apartado, verbalizando los elementos de sonoridad de los poemas elegidos.

3. También se puede plantear un catálogo de sonidos y cadencias de los *Veinte poemas...*, e incluso de imágenes de la naturaleza de la obra. En cualquier caso, estas sugerencias permitirán adensar nuestra capacidad de escritura de las narraciones propuestas anteriormente.

AUSTRAL